contemporanea

NADIA TERRANOVA
MARA CERRI

Il segreto

MONDADORI

La citazione da "Vie dello specchio", in *La figlia dell'insonnia* di Alejandra Pizarnik, presente a pagina 7, è tratta dall'edizione Crocetti, nella traduzione di Claudio Cinti (2015).

www.ragazzimondadori.it

© 2021 Mondadori Libri S.p.A., Milano
Pubblicato per accordo con The Italian Literary Agency, Milano.
Prima edizione aprile 2021
Stampato presso ELCOGRAF S.p.A.
Via Mondadori, 15 – Verona
ISBN 978-88-04-73760-5

Dedico questo libro ad alcune
fra le ragazze magiche della mia vita:
Adele M., regina dei libri;
Francesca O., Big Sister;
le mie gatte Aida e Venere, riparatrici di anime;
Federica, Fiona, Orlando;
le mie nonne, che da qualche parte lo stanno leggendo.

N.T.

A qualcuno che chiamavo Jo.

M.C.

Ma te voglio guardarti finché il tuo viso
sarà lontano dalla mia paura come
un uccello dal bordo affilato della notte.

ALEJANDRA PIZARNIK, *La figlia dell'insonnia*

1

Baci rotti, crateri lunari
e buche di salvezza

Il barattolo dei baci rotti stava sulla mensola di legno giallo, all'ingresso, con su scritto: SVUOTACUORI. Nonna l'aveva messo lì per me. «Adele, ti fa male portare in casa i baci che si sono rotti là fuori. Chiudili nel barattolo, gira forte il tappo e poi vai in giardino a fare quello che vuoi.»

Oggi, quando entro nelle case degli altri e vedo uno svuotatasche, mi ricordo che nella nostra c'era uno svuotacuori. Grazie a quell'oggetto, nella mia infanzia il mio cuore è stato leggero.

Sulla mensola gialla, all'ingresso della casa in cui abito ora, non c'è più uno svuotacuori e non mi serve uno svuotatasche. C'è invece una matrioska vestita di rosso, una piccola bambola in legno che al suo interno ne contiene altre due. Dentro questa bambola che somiglia a nonna ce n'è un'altra identica ma più piccola, cioè io adesso, da grande, e dentro ce n'è una ancora più piccola, cioè io da piccola. Ci chiamiamo tutte e tre Adele. Nella vita di tutti i giorni non ci sono più né la nonna né la bambina, ma solo un'Adele adulta, che sono io, ovvero quella di mezzo. Però sulla mensola siamo sempre tutte insieme.

Nonna Adele e io abitavamo su una collina da cui si vedeva il mare. Non c'era nessuno a parte noi e due gatti gemelli, ultimi di una dinastia felina che viveva sulla collina da quando ci si erano stabiliti gli antenati di nonna, cioè dalla notte dei tempi. Sirio e Diana erano nati il mese prima che io mi trasferissi lì e nonna me li aveva presentati come i miei cugini, dicendo che avevano avuto il buon gusto di venire al mondo presagendo che in quella casa prima o poi sarebbe arrivata una ragazzina cui fare compagnia. Sirio era pezzato e amava le stesse cose che amavo io: sedeva sulla mia sedia, dormiva dal mio lato del letto, mi saltava sulle ginocchia quando facevo i compiti o guardavo un film, mi succhiava la punta del naso per svegliarmi e si strusciava ai miei piedi quando mangiavo; Diana era tutta nera e di animo selvatico, potevano passare giorni senza che si facesse viva e se ne stesse per i fatti suoi nel lecceto, dove sospettavo avesse una banda di amici con cui se la spassava. A volte nonna la dava per dispersa, ma io sapevo che sarebbe tornata: tornava sempre, portandomi un regalo fra i denti, a volte repellente, come la coda di un topo con cui aveva appena fatto colazione, a volte romantico, come un rametto di bouganville appena staccato.

Non c'erano lampioni nella strada che portava da noi e certe notti in collina erano scure scure. D'inverno la luce finiva dopo pranzo, in estate non finiva mai e nelle stagioni di mezzo prendeva lo spettro di tutti i colori. Davanti alla porta c'era un albero di mele cotogne che in ottobre si riempiva di frutti, rendendo l'aria del tramonto ancora più gialla. Quando il sole andava giù all'orizzonte, fra il cipresso e le piante aromatiche scorgevo sagome di creature che giocavano a rincorrersi. Avrei voluto unirmi, ma se provavo ad avvicinarmi troppo, loro subito sparivano.

La sera, dopo aver innaffiato le piante, nonna riempiva d'acqua cinque ciotole di alluminio che lasciava in cinque diversi angoli del giardino. «Servono per ristorare le ombre» diceva, e poi: «Hanno sempre sete, perché il viaggio dal loro mondo al nostro è molto lungo e quando arrivano qui sono stanchissime.» La mattina erano sempre vuote, ma sospettavo che la colpa fosse per metà della sete delle ombre e per l'altra metà della sete di Sirio e Diana.

Tranne che nelle notti di plenilunio, quando la luce della luna era troppo ingombrante per lasciare spazio a tutte le altre, il cielo sulla casa era fitto di stelle. Dalla finestra vedevo il giallo incandescente di Giove e nel vento sentivo bisbigliare la costellazione dell'Orsa Maggiore e quella dell'Orsa Minore. Alzando gli occhi le vedevo: l'una ricurva sull'altra, una mamma e una figlia al rovescio, la più piccola china sulla più grande nell'atto di proteggerla. Quell'inversione di ruoli mi sembrava giusta: i bambini dovrebbero sempre proteggere i genitori, pensavo, e mi intristivo. Appena corrucciavo gli occhi, una risata squarciava il buio. Cosa volete?, mi arrabbiavo allora con le ombre invisibili, perché non solo si abbeveravano alle ciotole della nonna senza in cambio giocare con me, ma neppure mi lasciavano in pace con i miei pensieri.

Fu in una notte di luna piena, senza la luce di nessun'altra stella, che notai che sul collo di nonna c'era un neo luminoso. Anche se dormivamo insieme da un po', non lo avevo mai visto prima. Forse la luna lo aveva appena posato sulla sua pelle, sembrava uno dei suoi crateri; forse invece era già lì e una delle ombre amiche di nonna lo aveva acceso, come si fa con una lampada. Da allora, a ogni plenilunio, il piccolo cratere si riaccendeva e mi svegliava, mentre nonna continuava a dormire e il suo respiro si accordava con il vento. Mi chiedevo se sapesse di averlo, lei che non si guardava mai allo specchio. Una mattina, a colazione, glielo confessai: «Un po' di tempo fa ti è caduto sul collo uno dei crateri della luna».

Lei mi rispose tranquilla: «Dici? I bambini vedono cose che i grandi non vedono».

Quello stesso giorno, tornando da scuola, trovai ovunque piattini di riso nero: sul lavello, dentro il forno spento, sulle mensole, sul tavolo. Il cioccolato di nonna era speciale: non faceva venire mal di pancia e a differenza degli altri in commercio potevano mangiarlo anche i gatti, infatti, oltre al mio, era anche il dolce preferito di Sirio. L'odore di cacao e cannella aveva coperto gli odori del pranzo, ma a me non importava, volevo subito la merenda. Stavo per mettere le dita dentro un piattino quando nonna mi fermò e mi disse: «Sento odore di baci rotti».

Tornai indietro sulla soglia, e cercai di capire cosa dovevo mettere dentro.

Non sentii però il solito sollievo. Il cuore era rimasto pesante, e una volta seduta a tavola respiravo a fatica. Neanche l'odore del dolce bastava a rasserenarmi. La fronte mi si accartocciò sugli occhi, una feroce stanchezza si impadronì dei miei muscoli, una terribile pesantezza mi paralizzò gambe e braccia. Un malessere cui non sapevo dare forma mi tirava giù, fin sotto il pavimento.

L'anno prima i miei genitori erano morti entrambi in un incidente stradale.

Il giorno dopo sarebbero partiti per un viaggio insieme e mi avevano portata a casa di nonna. L'ultima immagine che ho di loro è papà che suona una musichetta con il clacson per salutarmi allegramente, e mamma che si sporge dal finestrino ridendo e lanciandomi un bacio.

Quella notte, Sirio e Diana si erano piazzati tra me e nonna e avevano dormito con noi, e quando, la mattina dopo, avevo pianto in quello stesso letto tutte le lacrime che avevo, i gatti non mi avevano lasciato da sola neanche un minuto e nonna, abbracciandomi forte, mi aveva detto: «Dormirai qui con me finché vorrai, sarai tu a dirmi quando ti sentirai pronta a spostarti nel tuo letto».

Poi, a colazione, aveva fatto il riso nero. Indossava un prendisole giallo che non le avevo mai visto, si era tirata i capelli indietro con un pettinino e aveva messo un barattolo vuoto sul tavolo. Sirio le stava accanto, come nelle occasioni importanti.

«In tutte le giornate della nostra vita, anche le peggiori, c'è almeno un momento felice come un bacio dato di nascosto. Se ti accorgi di avere vissuto un momento felice, anche se sei triste, ne devi avere cura e tenertelo addosso fino a quando non ti capiterà di nuovo e quella sensazione tiepida prenderà il posto dell'altra, che nel frattempo si sarà consumata. Poi ci sono i momenti infelici. È come se un bacio non fosse arrivato a compiersi, rompendosi prima. I baci rotti non te li devi portare nel cuore, perché fanno male. Si conficcano come schegge e poi è più difficile toglierli. Appena arrivi a casa, togliteli di dosso, lasciali qua e si dimenticheranno da soli.»

Ma come faceva un bacio a rompersi? E com'era possibile che nei giorni più tristi, quelli che stavo vivendo, ci fosse anche della felicità?

Con nonna, però, le domande troppo dirette non funzionavano. Bisognava fidarsi e seguirla nelle sue intuizioni e nei suoi improvvisi cambi di argomento. Così, da allora, per tollerare le piccole infelicità quotidiane aveva dato loro il nome di "baci rotti". Il trucco aveva funzionato.

Alla piccola borsa che mamma e papà avevano preparato per me si aggiunsero i vestiti e gli oggetti che nonna andò a prendere nella nostra casa di città, che fu sgomberata e venduta. Io non volli tornarci mai più.

Arredammo la mia stanza con gli oggetti che avevamo tirato giù dalla soffitta. Alla fine il risultato mi piacque e per un attimo pensai che lì avrei potuto anche dormire, ma non lo feci: guardai il copriletto sul mio materasso senza riuscire a scostarlo e mi infilai nel lettone di nonna. Sul comò c'era una foto del matrimonio dei miei genitori. Mamma indossava una minigonna rossa e una coroncina di belle di notte tutte afflosciate, raccolte dal giardino di nonna. Erano le mie piante preferite, mi piaceva osservare i fiori aprirsi ogni sera, quando il sole andava via, dopo essere stati chiusi tutto il giorno.

Questa era la mia vita con nonna, e quando qualcosa non funzionava il barattolo di baci rotti faceva il suo dovere svuotandomi il cuore.

Quel giorno di ottobre, però, sentivo un dolore acuto e persistente che non somigliava a nessun altro.

Per tre volte nonna mi chiese che cosa avessi, ma non riuscii a rispondere. Le parole arrivavano sulla lingua e poi non uscivano.

«Vai in giardino e scava una buca» mi esortò allora lei. «Non c'è bisogno che tu dica niente a me, racconta tutto alla terra. Poi ricopri la buca e torna a casa. Ti sarai liberata del tuo peso e la terra non lo dirà a nessuno.»

Se chiudo gli occhi, quel preciso pezzo di giardino è ancora lì e io sono sempre la bambina che sta seminando il suo segreto.

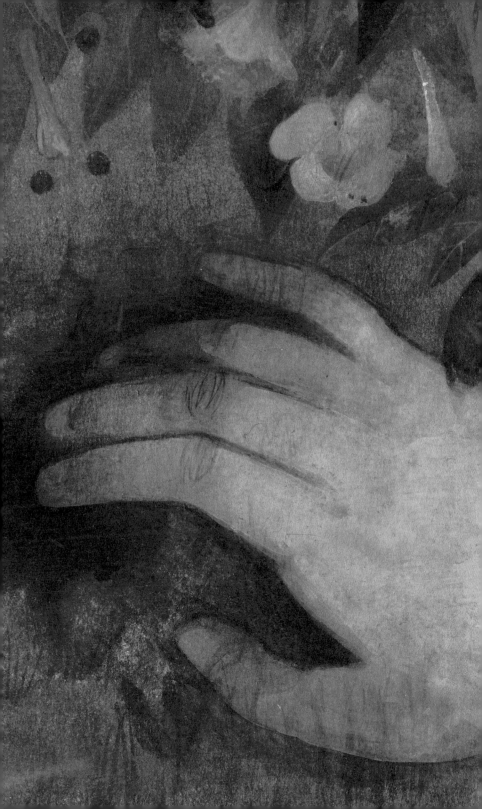

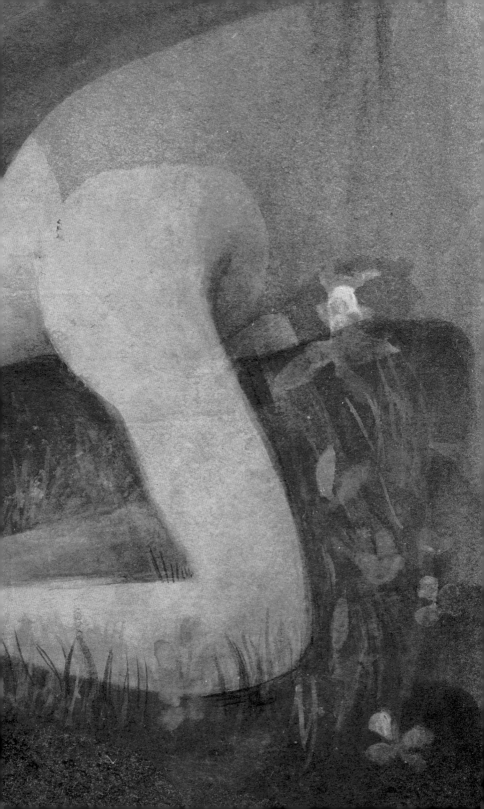

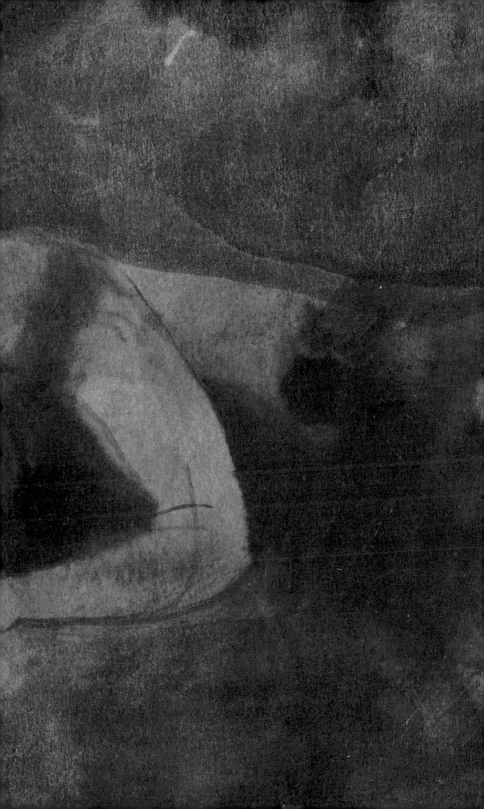

2

Fiori e ortiche

"Caro diario, mi chiamo Adele e ti dico subito che Margherita, Iris, Dalia e Rosa sono le mie amiche del cuore."
Non era solo la frase che avrei voluto confidare a nonna, sussurrare alle ombre in giardino, urlare alla striscia di mare fuori dalla finestra, alla luna e a me stessa. Era soprattutto la frase con cui avrei inaugurato il mio diario.

Dopo averci fatto leggere alcune pagine dal diario scritto da Anna Frank, l'insegnante di italiano, la professoressa Solinga, aveva suggerito anche a noi di tenerne uno. Ci aveva chiesto: com'è fatta la vostra vita, chi sono le persone cui volete bene e cosa vi lega a loro? Poi ci aveva detto di non darle una risposta, ma di scrivere tutto in un diario accessibile solo a noi. Aveva detto che scrivere ci avrebbe migliorato la testa, il cuore e perfino il modo in cui facevamo i compiti.

Io non ero brava in nessuna materia, non riuscivo a tenere il compasso in mano né a pronunciare bene la parola "goniometro", non ricordavo la data della battaglia di Salamina e confondevo la capitale della Danimarca con quella della Finlandia. Ogni volta che fissavo una pagina, le lettere e i numeri si scolorivano e si sgranavano, poi si mettevano a ballare finché con un inchino uscivano di scena e scomparivano. Però, quando la Solinga leggeva ad alta voce brani dall'antologia, sentivo che dal passato quegli scrittori parlavano proprio a me e a nessun altro.

Guardavo i ricci della professoressa esplodere sulla nuca dopo essere stati tirati da un elastico a pois, i piccoli occhiali color cammello e le gambe svelte e sottili muoversi nervose dalla cattedra alla lavagna e viceversa. "Dolce e chiara è la notte e senza vento" aveva esclamato una volta la sua voce piena di gentilezza; era l'inizio di una poesia e io avevo pensato alla finestra della mia casa in collina, ogni volta che il sole andava via. "Rosso Malpelo si chiamava così perché aveva i capelli rossi" aveva letto un'altra volta, e mi ero ricordata di quando mia madre mi aveva detto: "Ti chiami Adele come tua nonna perché ho passato tutta la vita a cercare di capire mia madre e non ci sono riuscita, magari con mia figlia andrà meglio".

Così, una mattina di ottobre, prima di entrare in classe, mi feci coraggio e decisi di seguire il consiglio della Solinga. Entrai in cartoleria e scelsi un quaderno con la copertina verde ortica, pagai con i soldi della merenda e lo nascosi in fondo allo zaino. Friggevo dalla voglia di scriverci su, ma mi ripromisi che l'avrei fatto una volta diventata amica delle Magnifiche Quattro. Allora avrei avuto una vita bellissima da raccontare al mio quaderno, non le mie abituali giornate da sola.

Quando suonò la campanella della ricreazione non avevo nessuna pizzetta unta da scartare, nessun panino al pomodoro da cui fossero colati acqua e olio, ma nello zaino portavo un'intenzione luminosa, più forte della fame: mi sarei fatta avanti e sarei entrata nel gruppetto più ammirato di tutta la scuola.

È vero, nessuna delle quattro ragazze coi nomi dei fiori mi aveva tenuta in considerazione fino a quel momento, ma doveva essere stata colpa mia, ero stata timida, incerta nei movimenti, insicura nel mostrare i miei desideri.

Io, in compenso, da quando ero arrivata in quella nuova scuola, avevo passato molto tempo a osservarle, sapevo tutto di loro. E adesso era arrivato il momento giusto. Avrei spiegato che non ero altezzosa, solo timida: non è che non avessi bisogno di amicizia, solo non sapevo come chiederla. Le avrei portate in collina, avrebbero visto lo svuotacuori per i baci rotti e le ombre fuggenti della notte. Le avrei invitate nella stanza dove non riuscivo a dormire da sola, e non avrei avuto più paura. Sfidando il buio del corridoio, illuminate dalla luna, saremmo andate insieme nella stanza di nonna e avrei mostrato loro il cratere sul suo collo, poi l'indomani mattina saremmo andate a scuola tutte e cinque, scivolando a perdifiato giù dalla collina mentre la superficie del mare, in lontananza, si sarebbe increspata sotto il vento per manifestarci la sua approvazione. La mia vita sarebbe diventata bellissima. Non sarei più stata sola, avrei avuto quattro amiche vere e un quaderno dove scrivere i loro nomi e le nostre avventure.

Quanto alla scelta, non c'era dubbio che fossero le persone giuste per me.

Era cominciato tutto da Rosa. Una volta che non sapevo come risolvere un problema di matematica mi si era seduta vicino ed era stata gentile nonostante io non riuscissi quasi a parlare. Mi aveva prestato una matita lunga e nuova, perché quelle di nonna erano tutte smozzicate e non ci scrivevo bene, mi aveva sorriso e, quando il professore l'aveva spostata di banco perché stavamo disturbando, mi aveva salutata chiamandomi per nome con uno sguardo che prometteva amicizia. Non ci eravamo più parlate, ma non avevo smesso di osservarla anche se da quel momento accanto a lei c'era stata sempre Dalia, con i suoi gagliardi capelli rossi e le lentiggini fittissime. Dalia era la più intelligente della classe. Tutti restavano ammaliati dalla sua voce squillante e inarrestabile, precisa nel nominare le parole difficili, i ragionamenti complessi e le date delle guerre. Dalia non esitava mai, studiava tutti i giorni e sapeva ogni cosa. A poco a poco, a loro si era unita Iris, che portava un paio di occhiali spessi dalla montatura di plastica rossa, era sguaiata e non sapeva niente di niente, ma i professori non la rimproveravano mai troppo perché suo padre dirigeva l'unica banca del paese e l'accompagnava a scuola con un'automobile lunga e lucente. I professori temevano Iris. Solo la Solinga la trattava in modo uguale a tutti gli altri e una volta, dopo la sua ennesima scena muta, le aveva detto che o si decideva a studiare o avrebbe perso l'anno. Iris aveva riso e per tutta risposta l'aveva invitata in piscina, nella sua villa. «Prof, le farebbe bene fare una nuotata, così si rilassa» aveva detto. La prof l'aveva sbattuta fuori dalla classe. Ammiravo Iris. Ammiravo la sua sfrontatezza, la sua assenza di vergogna mentre io mi vergognavo di tutto e avvampavo se qualcuno mi rimproverava. Inoltre, Iris era la migliore amica di Margherita, che faceva paura a tutti, maschi e femmine.

Margherita era alta, muscolosa, con i capelli neri e corti, le spalle grosse e l'aria da pugile. Terrorizzava la classe sempre, in particolare durante l'ora di ginnastica: si sedeva sopra la cavalletta e non faceva esercitare nessuno. Oppure si sdraiava sopra i pesi, le aste e i cerchi, e faceva finta di fumare una sigaretta. Sembrava molto più grande di Iris e di noi tutte e aveva l'aria di una abituata a cavarsela ovunque. Ammiravo anche lei. Pensavo che, se fossi stata forte come Margherita, il dolore non avrebbe inciso su di me e tutti mi avrebbero rispettata.

La gentilezza di Rosa, l'intelligenza di Dalia, la sfacciataggine di Iris e la forza di Margherita mi avrebbero dato tutto quello che a me mancava.

"Caro diario, mi chiamo Adele e ti dico subito che le quattro ragazze dai nomi di fiori sono le mie amiche del cuore."

Ecco la frase che avrei voluto scrivere.

Il quaderno verde era lì ad aspettarmi, e io non avrei dovuto far altro che un passo: uno solo, ma quello giusto.

3
Nel cerchio del fuoco

Il giorno dopo aver piantato il segreto nel giardino, con il quaderno verde nello zaino e una strana sensazione di leggerezza, mi avvicinai alle Magnifiche Quattro. A volte quello che desideriamo è talmente forte da trasformare il nostro carattere e i nostri pregiudizi e allentare i nostri blocchi senza più farci vedere gli ostacoli che per tanto tempo ci sono sembrati insormontabili. Il minuto prima ero da sola in classe con addosso nient'altro che la mia timidezza, quello dopo ero arrivata fino in cortile a pochi passi dal cerchio formato da Margherita, Iris, Dalia e Rosa.

Nessun'altra si avvicinava quando erano insieme, come se dal loro gruppetto si propagasse un'energia che disegnava altri cerchi concentrici e inaccessibili. Avevo tirato un respiro e saltato il primo cerchio. Il secondo. Il terzo. Alla fine mi ero ritrovata i capelli scuri di Margherita a pochi centimetri dal mio naso, anche se, per la paura di non aver avuto paura, tenevo la testa bassa e i miei occhi vedevano solo le scarpe verdi di Rosa. Verde ortica, pensai, come il quaderno. Emanavano davvero, tutte e quattro insieme, il profumo di un mazzo di fiori di campo.

La prima ad accorgersi di me fu Dalia.

«Com'è bellina questa maglietta» disse, «somiglia a una che avevo quando andavo all'asilo.»

«Non le dire così» la rimproverò Margherita con un sorrisetto, «che poi scoppia a piangere.»

«Non mi sono offesa» precisai. «Volevo solo invitarvi a casa mia oggi pomeriggio. Mia nonna fa un dolce con il riso e il cioccolato che sa fare solo lei. Ho due gatti. Cioè, un gatto maschio, perché la femmina va e viene. Ho un sacco di spazio in giardino, e la mia stanza è piena di oggetti strani. C'è anche la fotografia di un fantasma fatta dal mio bisnonno.»

Sentendomi pronunciare quelle parole, non riconobbi la mia voce. Chi era quella ragazza sicura di sé, che parlava a voce alta guardando le sue future amiche dritto negli occhi, nel centro del cerchio del fuoco?

Le Magnifiche Quattro ammutolirono. Si guardarono l'un l'altra, e poi tutte guardarono Margherita. «Certo» disse lei, «verremo alle cinque. È da un po' che volevo fare un giro su in collina.»

All'ultima ora avevamo italiano, ma la voce della Solinga arrivava ovattata e lontana, come se avessi appoggiato le orecchie su due conchiglie che allontanavano i rumori della realtà sovrapponendo la musica delle onde.

Ma sapevo che il richiamo, per me, era la novità del pomeriggio, non il mare.

Il mare non era lontano dalla scuola, ma nessuno del paese ci andava mai, tranne che in estate: quante volte trascuriamo le cose belle a portata di mano, dandole per scontate? Per noi che ci abitavamo vicino, il mare era così, anche perché la spiaggia vicino al nostro paese era molto piccola e il nome di "Cala Grande" sembrava una presa in giro. Inoltre, a ridosso di quel minuscolo ritaglio di sabbia, qualcuno, vent'anni prima, aveva deciso di costruire una fabbrica con due ciminiere. Da allora nonna aveva deciso di chiudere con il mare: lo avevano rovinato troppo e diceva che le faceva male vederlo inquinato così. Proprio lei, che da bambina veniva soprannominata "sirena" per quanto le piaceva stare in acqua. Per via del suo ribrezzo, anche d'estate preferivamo stare su in collina, al fresco. Così le mie giornate erano divise in due: la mattina in classe e il pomeriggio a casa e nel bosco. Avvicinandomi alle ragazze che volevo per amiche, mi sembrava di aver messo la prima pietra del ponte che avrei voluto costruire fra quei due mondi, e ora anche loro avevano fatto un passo verso di me!

Non stavo in me per l'eccitazione, un quarto d'ora prima della campanella avevo già svuotato il mio banco e pigiato libri, penne e quaderni nello zaino. Non riuscii ad aspettare la corriera e corsi su per la collina.

«Nonna, nonna» urlai entrando a casa, «devi preparare

il riso nero, alle cinque vengono a trovarmi le mie compagne di classe!»

Nonna mi rivolse un sorriso e, anche se era pieno giorno, il piccolo neo sul collo irradiò la sua luce speciale. «Le accoglieremo come è giusto che sia» rispose, cominciando a guardarsi intorno per cercare le pentole e gli ingredienti necessari.

Sono passati tanti anni dalla mia infanzia, ma posso ancora affermare di non aver mai visto una cucina più stracolma e disordinata di quella di nonna Adele.

Oggi la mia cucina è quella di una giovane donna organizzata: sul fornello più piccolo c'è una moka pronta per il caffè, nella dispensa pane, pasta, sughi speciali, nel frigo salumi, yogurt e qualche piatto pronto per le giornate in cui lavoro troppo. Ma se apro uno sportello segreto accedo a una piccola, fitta serra con le piante della mia infanzia. La chiamo "serra di nonna Adele", perché è da lei che ho imparato che tante cose si possono comprare al supermercato, ma alcune vanno coltivate e basta.

Rametti di lavanda, rosmarino e salvia spuntavano da boccali in rame disseminati ovunque: le erbe aromatiche finivano spesso dentro una pietanza o una tisana, ma nonna le appoggiava anche vicino alle finestre, per tenere lontani gli insetti dai fornelli, e in quel caso non bisognava toccarle. Il forno spento tracimava di padelle e tegami di ogni forma e dimensione, ma se nonna era costretta ad appoggiarli per terra per mancanza di spazio dovevo stare attenta a non inciampare. Lo zucchero, il sale, la farina non avevano un solo recipiente, perché nonna li divideva a seconda delle destinazioni: lo zucchero per il caffè doveva stare sempre rivolto a sud, quello per le torte a nord, anche se era lo stesso, per misteriose ragioni che avevano a che fare con l'aria portata dai venti; la farina per il pane bisognava conservarla dentro un certo scaffale, quella per le fritture in un sacco di stoffa bianca, e così via.

Insomma, la cucina non era una cucina: era la mappa del cervello di nonna, lo specchio delle sue ricette ma anche delle sue idee, del suo modo di stare al mondo. La dispensa era una caverna, il frigorifero un antro, i fornelli una costellazione e nonna era il fulmine silenzioso che si muoveva da un angolo all'altro, la regina di un regno di cui lei sapeva tutto e che io conoscevo solo in parte.

Mangiai in fretta e da sola. Quando c'era qualcosa di urgente da fare, nonna sbrigava il mio pranzo mettendo in tavola un piattino con un po' di ricotta e un grosso pezzo di parmigiano accanto a un vassoio di verdure dell'orto. Quanto a lei, diceva sempre di aver già pranzato ma sospettavo mangiasse soltanto a colazione e a cena: le sue giornate erano troppo intense perché si concedesse di fermarsi.

Era ottobre, tempo di bietole, broccoli e cavolfiori. Il cavolfiore era violetto, mi piaceva il modo in cui colorava tutto il cibo che gli si metteva accanto: mangiai formaggio viola, bietole viola e broccoli viola, e infine con le labbra ancora viola corsi su a preparare l'accoglienza per le Magnifiche Quattro.

Aprii la porta della mia stanza: era la prima volta che la guardavo in funzione di qualcuno che sarebbe venuto a trovarmi, vedevo ogni oggetto con occhi nuovi.

Ero particolarmente compiaciuta della foto: una bambina vestita di bianco appariva sfocata in un corridoio, scalza, i piedi a pochi centimetri da terra. Nonna mi aveva detto che suo padre, per hobby, fotografava i fantasmi e io sapevo che ne conservava altre nei cassetti, ma non era neppure la cosa più strana da poter mostrare alle mie nuove amiche. Chi avrebbe resistito al fascino di una polena, ovvero la statua di una donna sulla prua di una barca? Sì, mia nonna ne aveva una, non so come mai. Chi non sarebbe stato affascinato dal ciuffo di capelli bianchi dentro una teca, su cui nonna aveva scritto "chioma di gnomo"?

Ero certa che le mie amiche sarebbero rimaste stupite e meravigliate dal nostro mondo. Ma per sicurezza, volevo che avessero un'accoglienza festosa.

Avevo un intero scaffale pieno di quaderni che nonna e io avevamo cucito insieme in estate, legando con lo spago foglie e petali di fiori: ne scelsi quattro, i più belli, e li impacchettai con carta crespata. Da fuori sembravano normali regali da cartoleria, ma il loro contenuto, ne ero certa, avrebbe impressionato le Magnifiche Quattro.

Del resto, io non avevo bisogno di quei quaderni, avevo il mio verde ortica.

Aprii la finestra e cominciai a pulire e sistemare la stanza, orgogliosa di ciò che avrei mostrato loro. Solo di una cosa mi vergognavo: non volevo scoprissero che dormivo con nonna. Non volevo sembrare una bambina, anche perché le mie paure erano così lontane da quella giornata, dalla persona che volevo diventare e dall'amica che volevo essere. Invitare delle compagne di classe a casa mi faceva sentire grande, grandissima, forte, più forte che mai.

Presi dalla parte alta dell'armadio un completo di lenzuola pulite, le stesi sul materasso intatto, mi ci accoccolai strofinandomi e stropicciandole più che potevo e infine le annusai: sembrava proprio che ci avessi dormito dentro.

Sirio non mi lasciava un attimo, aveva capito che era una giornata speciale e voleva godersi le novità, provai a tirarlo a forza fuori dal letto, ma si aggrappò con le unghie alla federa. A un tratto saltò in aria, miagolando forte verso la finestra, aveva sentito un pericolo o una novità.

Corsi preoccupata ad affacciarmi, e in effetti la collina si animava. Margherita, Iris, Dalia e Rosa stavano risalendo il sentiero ed erano quasi arrivate al cancello.

Erano le cinque: presa dall'ansia che fosse tutto perfetto, avevo perso di vista l'orologio.

4

Cimici, lucertole e cioccolato magico

«Te la fai a piedi tutti i giorni?» chiese Rosa prima che io potessi aprire bocca. «Non vedi com'è magra!» le fece eco Dalia. Erano state le prime ad arrivare.

Iris e Margherita arrancavano dietro. Fino a me arrivava la rabbia di Margherita per aver perso il primo posto nella fila: la salita ripida non le permetteva più di essere in testa, era stizzita, non era abituata a non essere il capo. Si muoveva sgraziata e lenta, sudava e doveva fermarsi spesso per prendere fiato. Avrei voluto scusarmi, come se la pendenza della casa fosse stata colpa mia.

Quando arrivò mi piantò gli occhi in faccia: «Bell'accoglienza, potevi almeno venire a prenderci giù. Tua nonna non ce l'ha una macchina?».

In cantina avevamo due biciclette, svariate paia di pattini e perfino un monopattino, ma né io né nonna pensavamo mai all'automobile. A scuola andavo a piedi oppure in corriera.

«Chiamerò mio padre per farci venire a prendere alle

otto» disse Iris per tranquillizzare Margherita e avvertirla che l'umiliazione non si sarebbe ripetuta.

«Guarda, da qui si vede Cala Grande!» sorrise Rosa, illuminandosi, e le fui grata per aver cambiato discorso. Dalia aggiunse che la collina sembrava un trampolino e che era proprio felice di essere qui, non aveva mai visto la spiaggia dalla prospettiva della collina. Dalia diceva sempre qualcosa di originale e non sembrava curarsi troppo del giudizio degli altri, neppure delle sue amiche.

Pensai al mio quaderno verde ortica e mi dissi che avrei fatto di tutto per rendere speciale quel pomeriggio: per poter avere qualcosa di importante da scriverci su a fine giornata.

Invitai le mie amiche a entrare in casa, perché assaggiassero il riso nero il cui profumo arrivava fino al vialetto. Margherita si fece avanti per prima, come sempre; Dalia e Rosa la seguirono. Solo Iris era rimasta indietro, immobile, la schiena rivolta contro la casa. La chiamai e, vedendola stringersi nelle spalle, mi avvicinai preoccupata.

«C'era… qualcuno… là» disse indicando il cespuglio di rosmarino, non distante dal punto in cui avevo seppellito il mio segreto.

Stavo per dirle delle ombre, ma mi fermai. Non ne avevo mai parlato con nessuno e non volevo che le ragazze si spaventassero pensando che nonna e io vivevamo in un posto infestato. Nella nostra casa le ombre erano amiche, ma capii che, agli occhi di gente abituata ad abitare in paese, la convivenza con l'invisibile poteva sembrare bizzarra.

«Sarà stata una volpe» dissi, scegliendo di nominare l'animale più innocuo e simpatico tra quelli che frequentavano i dintorni di casa nostra.

Una volta convinta Iris che non c'era nulla di cui preoccuparsi, la portai con me fin dentro casa, dove Margherita, Dalia e Rosa si erano sparpagliate sul divano e sulle poltrone. Nonna chiese come si chiamavano e ascoltò le loro brevi presentazioni, poi disse che ci avrebbe subito lasciate sole perché era indaffarata, in campagna c'era sempre qualcosa di cui occuparsi: quel pomeriggio, per esempio, doveva dedicarsi a potare una siepe cresciuta a dismisura. Notai che si era annodata al collo un foulard, così da coprire il piccolo cratere, e la seta colorata sulla sua pelle lattea risultava elegantissima. In più si era sciolta i capelli mettendo un fiore di amaryllis dietro l'orecchio sinistro e ai piedi indossava un paio di scarpe femminili, con laccetti intorno alle caviglie e piccoli tacchi comodi, molto diverse dalle solite pantofole e dai soliti scarponcini da giardino. Capii perché quando era bambina la soprannominavano "sirena": così mi apparve, una creatura acquatica che da tanti anni ormai si era dovuta abituare a vivere sulla terraferma. Con i piedi candidi nelle scarpe lucide, color lillà, camminava disegnando una lieve danza, non calpestava il suolo, anzi sembrava non sfiorarlo neppure mentre distribuiva piattini di riso nero alle Magnifiche Quattro.

«Io sono allergica al cioccolato» sbuffò Rosa, allontanando il suo.

«Questo non ti farà nulla» disse nonna. «Mangia pure tranquilla.»

Margherita e Dalia si fiondarono sulla loro porzione e Iris le copiò. Seguirono gridolini di approvazione.

«Ma è buonissimo!»

«*Slurp!*»

«I dolci che fa mia madre fanno schifo in confronto!» disse Iris.

Rosa piano piano si sciolse e cominciò a mangiare pure lei. Da pallida che era prese colore, gli occhi le brillavano. L'aria frizzava di festa e io mi sentivo così felice che dimenticai di mangiare il mio riso.

Come annunciato, nonna andò fuori e io invitai le ragazze a salire in camera mia.

«Prima facci vedere la casa» chiese Margherita.

Non solo le Magnifiche Quattro erano davvero venute a trovarmi, ma si dimostravano interessate a tutto ciò che costituiva il mio mondo.

Margherita si guardava intorno in ogni stanza e io pensai che non l'avevo mai vista curiosa di altro che non fosse se stessa, era la prima volta che mi sembrava attratta da qualcosa che non riguardasse lei o la sua cerchia. Appena entrata in cucina notò, schifata: «C'è un gatto in una pentola» e poi: «Non sarà la stessa che avete usato per questo dolce?».

Tutte risero e io sentii aprirsi una ferita. Non mi piaceva che mi prendessero in giro, ma se era il prezzo da pagare per avere la loro fiducia, l'avrei pagato.

Sirio tirò su il muso macchiato di cioccolato, e miagolò forte. «Ne lasciamo sempre un po' anche a lui» mi giustificai, «ma dopo nonna pulisce con i suoi metodi speciali.»

Margherita mi fissava: «Che sarebbero?».

«Limone, fondi di caffè, salvia... Fanno molto di più di un normale detersivo.»

Presa alla sprovvista, avevo detto la verità, ma sudavo freddo e speravo che le mie risposte non sembrassero troppo strane.

«Ora che ci penso» disse Rosa, «c'erano peli di gatto nel mio riso.»

«Che schifo!» fece eco Iris.

Non riuscivo a dire nulla. A me non era mai successo di trovare tracce di Sirio in quello che mangiavo, ma non potevo escluderlo: viveva con noi, dentro e fuori casa, e capitava che perdesse peli sui cuscini o sui tappeti. In cucina, però, nonna era attentissima e obbligava anche lui a regole ferree. La pentola con il riso nero era l'unica eccezione, perché il cioccolato lo rendeva davvero un gatto felice, e in quei giorni qualche volta anche Diana si faceva viva sbucando a sorpresa fuori dal bosco per tuffare il muso dentro le stoviglie.

«Mi dispiace» balbettai.

«A che servono questi?» chiese Dalia indicando i rametti di rosmarino vicino alle finestre.

Alzai le spalle. Sapevo benissimo cosa rispondere, ma preferii fare finta che le stranezze di casa non mi riguardassero. Talmente forte era il desiderio di farmi accettare che dissi: «Mia nonna è un po' strana» picchiandomi la testa, come a indicare che era matta.

Dentro, la ferita si allargò un po' di più. Mi vergognavo di me e di quello che avevo detto, ma mi vergognavo anche di essere com'ero e di vivere nel modo che le Magnifiche Quattro stavano esaminando con tanto disprezzo.

Al piano di sopra, nella mia stanza, le cose andarono meglio. L'immagine del fantasma fotografato dal mio bisnonno e la teca con i capelli di gnomo rapirono l'attenzione delle ragazze, che si mostrarono sorprese, divertite ed eccitate proprio come avevo sperato. Elettrizzate, mi tempestarono di domande e commenti e, quando ci ritrovammo tutte strette sul letto come fossimo amiche da sempre, mi sembrò il momento giusto per tirare fuori i pacchetti.

Dalia fu la prima ad aprire il suo regalo. «Un quaderno?» chiese delusa. «Sì» risposi, «li ho fatti con le foglie e i petali dei fiori del giardino.»

A quel punto anche Rosa e Margherita aprirono il loro, ma quando toccò a Iris, Margherita urlò e dai capelli di Iris si levò un ronzio. Le ragazze, terrorizzate, schizzarono in piedi mentre un innocuo insetto nero si librava in aria per poi posarsi su uno dei cuscini.

«È soltanto una cimice» dissi, perplessa.

«Soltanto?!» Margherita era disgustata.

In casa ero abituata a non essere mai sola: parassiti, cicale, grilli, rane e topolini sono creature familiari per chi vive in campagna. Ma le Magnifiche Quattro erano sciocche.

«Una cimice da letto» insistei. «Non fanno niente se non appoggiarsi alla biancheria pulita. E io ho appena cambiato le lenzuola.»

«Mi sa che noi dobbiamo andare» disse Rosa.

«Ma manca ancora un quarto d'ora alle otto» protestai.

«Aspetteremo mio padre ai piedi della collina» rispose Iris, e tutte si affrettarono a seguirla.

Accompagnai le ragazze al piano di sotto con un profondo senso di sconforto, e quando, nel rimettersi il cappotto, fu Dalia a lanciare un grido, fui costernata nel vedere una lucertola scappare dalla sua tasca.

«Questa casa è piena di sporcizia» disse Margherita.

«Siamo in campagna» provai a spiegare, «è normale che ci siano un po' di animali.»

Non osai dire che soffrivo quando Sirio uccideva le lucertole, né confessai che nel tinello viveva in santa pace un geco, che nonna chiamava Ubaldo e considerava il protettore della famiglia.

Guardai le Magnifiche Quattro andare via con la certezza che, nonostante i miei buoni propositi, tutto, quel pomeriggio, era stato sbagliato. Solo Dalia si girò, poco prima di scomparire dietro la curva.

«Ci vediamo domani!» urlò, e poi sentii solo il vento.

A casa trovai la nonna sul divano, davanti alla televisione accesa. Si era tolta le scarpe e aveva steso le gambe sui cuscini, con i capelli ancora sciolti e all'indietro. Il blu del velluto sotto il suo corpo era molto più intenso e profondo del colore del mare di Cala Grande. Intanto, una giornalista annunciava l'arrivo dell'influenza di stagione e diceva che gli anziani avrebbero fatto meglio a restare in casa. Sapevo come la pensava nonna: erano regole buone per chi viveva in città, mentre noi, sulla collina, non ci saremmo ammalate, grazie all'aria salubre del bosco e alla protezione delle ombre.

«Le tue amiche sono già andate via?»

Feci cenno di sì e sprofondai in poltrona. Sirio mi saltò in grembo e cominciò a fare le fusa.

«Adele, sicura che non hai baci rotti da metter via? Non hai la faccia che ci si aspetterebbe dopo aver passato un pomeriggio con le amiche.»

Ero confusa e triste, perché le Magnifiche Quattro avevano avuto da ridire su tutto e, con i loro occhi, tutto era sembrato orribile anche a me. Ero arrabbiata con nonna, pensavo che se lei non fosse stata così strana e la nostra casa così diversa dalle altre, sarebbe stato molto più facile per me farmi delle amiche. Pensavo anche che se i miei genitori fossero stati vivi la mia vita con loro sarebbe stata molto più normale, avrei continuato ad abitare in una casa uguale a quelle di tutte loro e nonna Adele sarebbe stata solo la parente un po' strampalata da cui andare a pranzo la domenica. Tutti quei pensieri mi appesantivano, perché avrei voluto sentirmi libera di essere come le mie compagne di classe, ma dall'altro lato a me piaceva vivere con nonna e non mi dispiacevano neppure le sue singolari regole.

Mi alzai e andai a depositare un paio di baci rotti nel barattolo all'ingresso. Nonna mi osservava preoccupata, ma non fece altre domande, anche perché nel frattempo aveva spento il fuoco e messo in tavola il suo miglior pollo alle mandorle.

«Non sanno quello che si perdono le tue amiche, a non essere rimaste a cena» disse.

Guardammo insieme un film che parlava di bambini che volavano su un letto, e ridemmo perché Sirio saltava dal divano al tappeto come se avesse voluto imitarli.

Soltanto prima di andare a dormire, mentre mi lavavo i denti, mi resi conto che, presa da una giornata tanto impegnativa, avevo dimenticato di fare i compiti.

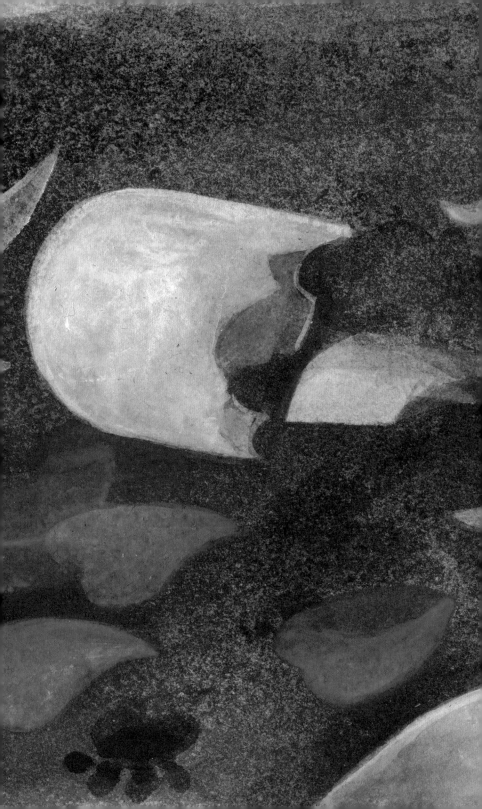

5
Una poesia per amica

La mattina dopo, appena sveglia, presi il quaderno verde ortica e scrissi: "Caro diario, mi chiamo Adele e ti dico subito che Margherita, Iris, Dalia e Rosa sono le mie amiche del cuore".

Scrivendo mi tremava la mano e sotto sotto sapevo che stavo esagerando, nessuna delle Magnifiche Quattro aveva mai pronunciato la parola "amicizia", ma avevo bisogno di dare fiducia a quel seme appena piantato, ne avrei avuto cura e l'avrei visto crescere e germogliare, e se avevo fatto degli errori, se non tutto era andato proprio alla perfezione, ci sarebbe stato tempo per rimediare.

Andando a prendere la corriera passai davanti all'aiuola dove avevo piantato il mio segreto. Accanto, il cespuglio di belle di notte si mosse anche se non c'era vento e, tra i fiori chiusi e le foglie, avrei giurato di sentire un bisbiglio. Mi voltai allarmata: le ombre non si facevano mai vedere a quell'ora del giorno, a chi apparteneva la voce? Restai a fissare la pianta, poi, sentendo il motore della corriera in arrivo, mi allontanai per paura di perderla.

Arrivai a scuola carica di attese: era il primo giorno in cui non mi sarei sentita sola, grazie alla protezione delle mie nuove amiche. La campana era appena suonata quando in cortile riconobbi Rosa che stava entrando con il suo zaino sulle spalle e la raggiunsi.

«Ciao!» le urlai, e lei si voltò. Mi guardava, ma sembrava non vedermi, come se il suo sguardo, che su di me era stato tanto caldo, mi trapassasse da parte a parte.

«Ciao» rispose fredda. Quell'ondata di ghiaccio mi fece arretrare. Nel chiamarla, avevo immaginato un'entrata trionfale in classe, così che tutti vedessero che ora eravamo amiche, ma il suo comportamento mi suggerì che era meglio stare a distanza. Restai un passo indietro e la seguii, sentendo riaprirsi la ferita del giorno prima.

In classe, le altre tre erano già sedute ai banchi e nessuna mi rivolse un cenno di saluto. La Solinga ci esortò ad aprire l'antologia a pagina 37 e chiese a Margherita di iniziare a leggere una poesia intitolata *Il gelsomino notturno*. Margherita borbottò qualcosa, poi si schiarì la voce: «*E s'aprono i fiori notturni, nell'ora che penso a' miei cari. Sono apparse in mezzo ai viburni le farfalle crepuscolari...*».

«Cosa sono i viburni? Qualcuno lo sa?» chiese la Solinga guardandosi intorno. Visto che nessuno rispondeva, ci invitò a girare pagina: nella successiva, comparve un arbusto a me molto familiare, uguale a parecchi che vivevano nel nostro giardino.

«Ah, la lentaggine!» esclamai senza pensarci.

La Solinga mi sorrise: «Brava, Adele. Hai qualcuna di queste piante sulla tua casa in collina?».

«Sì» risposi, sentendomi improvvisamente orgogliosa di essere finita dentro una poesia importante. «Mia nonna li chiama così» dissi tutto d'un fiato. In classe non si sentiva una parola ma avvertivo una strana pesantezza sulla mia schiena, come se tutti mi stessero guardando.

La Solinga chiese a Iris di continuare a leggere.

«*Da un pezzo si tacquero i gridi: là sola una casa bisbiglia. Sotto l'ali dormono i nidi, come gli occhi sotto le ciglia...*»

Incredibile: quella poesia sconosciuta parlava di me, a me, con me. Quindi era normale che le case bisbigliassero! Che avessero gli occhi! Potevo testimoniarlo: in primavera le rondini tornavano ai loro nidi sotto due delle nostre finestre, quella della camera da letto di nonna e, poco più su, quella della mansarda. La casa assumeva così la sagoma di un viso con gli occhi sbilenchi, e quando anche l'ultimo raggio di luce era scomparso, potevo sentire piccoli battiti di ciglia, o forse di ali.

Corsi in fondo alla pagina per conoscere il nome di quel poeta che sapeva tutto: Giovanni Pascoli. Non lo avevo mai sentito prima, e mi dispiaceva scoprire che era morto nel 1912, così diceva la sua biografia. Avrei tanto voluto incontrarlo e chiedergli se anche a lui era capitato di vivere in una casa che gli altri consideravano strana, e se era mai riuscito a parlare con le ombre del giardino, e ancora se le sue belle di notte erano viola o bianche. Certo che doveva averle: che altro potevano essere i fiori notturni che si aprivano? E poi c'era quel verso: *Nell'o-ra che penso a' miei cari*, per cui ne ero sicura: anche i suoi genitori, come i miei, erano morti.

Mi ritrovai così a pensarlo con chiarezza, per la prima volta in vita mia: mamma e papà sono morti.

Non lo avevo mai detto, non lo aveva mai detto nonna. Quella frase dura come una sentenza era rimasta impronunciabile. Non parlavamo mai di loro, il che voleva dire che ne parlavamo sempre: mamma e papà erano nelle carezze in più che nonna mi dava senza contarle mai, nella possibilità di dormire nel letto con lei, nello svuotacuori grazie al quale riuscivo a tenere la mia testa sempre abbastanza serena, nei sorrisi che ci scambiavamo quando eravamo allegre ma che non duravano mai troppo, come se l'allegria fosse ancora possibile ma una felicità più duratura no. Ecco perché, quando il sole andava via, le belle di notte si schiudevano e le ombre apparivano in giardino, io mi sentivo così malinconica: era l'ora in cui pensavo a mamma e papà.

«Adele?!»

L'imperiosa voce della Solinga mi fece saltare in aria. La classe intera scoppiò a ridere. La professoressa era vicina al mio banco e mi fissava con un'aria mista tra il rimprovero e la compassione. Ci misi un po' a capire cos'era successo: mi aveva chiesto di continuare a leggere e io, distratta dai miei pensieri, non l'avevo sentita. Chissà da quanto tempo mi stava osservando, e che faccia da addormentata dovevo avere agli occhi dei miei compagni. Annaspai, cercai il filo.

«Dai calici aperti si esala l'odore di fragole rosse...»

La classe rise ancora più forte. La poesia constava di sei strofe, dove eravamo arrivati? Non ne avevo idea, potevano essere passati due minuti o due ore. Un piccolo dito mi venne incontro sulla pagina: Giorgia, la ragazza seduta nel banco davanti al mio, si era girata per indicarmi la riga giusta. Fui investita dal suo odore: un profumo di cioccolato e sapone.

«Grazie» mormorai, mentre sentivo montare il nervosismo della Solinga.

«Cosa c'è da ridere?» rimproverò tutti. «Zitti e seguite, piuttosto.»

Quanto a me, feci un gran respiro e affrontai l'ultima strofa.

«È l'alba: si chiudono i petali un poco gualciti; si cova, dentro l'urna molle e segreta, non so che felicità nuova.»

Alzai gli occhi verso la professoressa. Era ancora di fronte a me, mentre in classe era tornato il silenzio. Allora era possibile essere di nuovo felici, se lo diceva Giovanni Pascoli c'era da credergli: quel signore, finora, non ne aveva sbagliata una. Mi sembrò che la Solinga facesse un cenno con la testa e che dai suoi occhi fossero scomparsi sia il rimprovero che la compassione, lasciando posto a un'unica energia che avrei potuto definire solo complicità. La professoressa mi stava guardando dentro, e mi stava suggerendo qualcosa. Ma cosa?

Durante la ricreazione, decisi di fare un altro tentativo e mi avvicinai a Dalia.

Mi sorrise allargando a dismisura le labbra sottili, scoprendo tutti i denti, dritti e bianchissimi, e le gengive rosa, molto rosa. Le invidiai quel sorriso aperto, che andò ad aggiungersi a una lunga serie di caratteristiche invidiate: la voce squillante, la spudoratezza, la sincerità, l'originalità. Dalia sembrava davvero una dalia, di nome e di fatto: un fiore dai petali fitti e dai colori vibranti.

«Ti piaceva proprio la poesia» mi disse, «pareva fatta apposta per te.»

Le sue frasi erano sempre a metà tra il complimento e la derisione, e non lasciavano appigli per continuare.

Stavolta fui io ad allontanarmi per prima: non mi andava di farmi trattare di nuovo male o di essere piantata in asso; soffrivo sempre più il dover ammettere che non solo il giorno prima non era nata nessuna nuova amicizia, ma addirittura le Magnifiche Quattro sembravano essersi allontanate ancora di più.

Sedetti su un gradino riparato nel cortile, guardando da lontano quella scuola nuova, quei compagni estranei. Tenevo in mano il panino che mi aveva preparato nonna. Apriva a metà la pagnotta, strofinava un pomodoro su entrambe le parti, condiva con olio e sale e richiudeva. Il risultato era un pane rosso all'interno, con il sapore e l'odore del pomodoro, ma senza pezzi di polpa: lo chiamavamo "il panino col pomodoro fuggito", cosa che ci faceva molto ridere, ed era una delle mie merende preferite. Quel giorno, però, non riuscii a godermelo: dopo il primo boccone mi accorsi che le Magnifiche Quattro, dall'altra parte del cortile, non stavano trascorrendo la pausa da sole ma con il resto della classe. Parlavano e ridevano, e tutti intorno a loro parlavano e ridevano.

Ancora una volta una mano, a sorpresa, mi venne incontro: stavolta posandosi sulla mia spalla. Riconobbi l'odore di sapone e cioccolato.

«Fregatene di loro» disse Giorgia. «E poi anche per me è una giornataccia: mia madre si è scordata di darmi la merenda, come al solito.»

Quindi era vero: qualcosa di terribile stava accadendo, e riguardava me.

«Di che parlano?» chiesi spaventata.

Giorgia sedette accanto a me. «Sembra buono quel panino. Me lo fai assaggiare?»

A me era passata la fame. Glielo diedi tutto e lo addentò con gusto.

«Per favore, se stanno parlando di me voglio sapere cosa dicono» supplicai ancora, mentre mi veniva da piangere.

Giorgia continuò a mangiare, soddisfatta. «Stupide cose senza importanza.»

· «Dimmelo!» urlai.

Giorgia alzò la testa. «Dicono che casa vostra è piena di pidocchi e che tua nonna è una strega.»

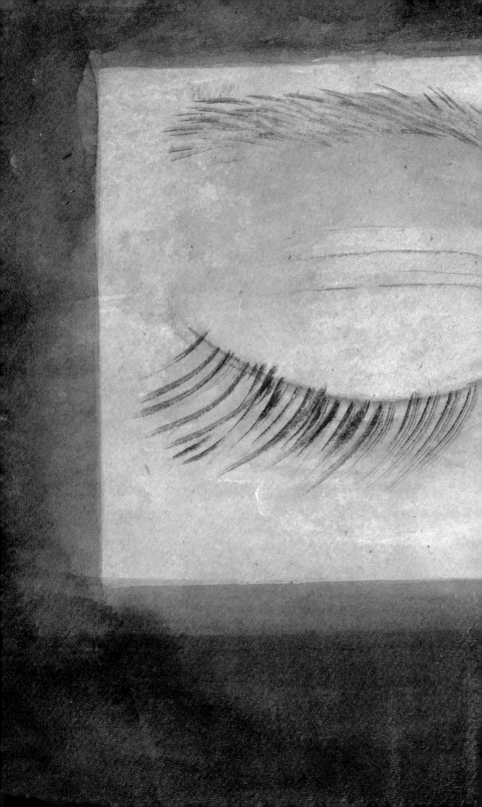

6
Sparizioni e apparizioni

Se penso a cosa accadde dopo la rivelazione di Giorgia, riesco a vedere la scena soltanto dall'esterno. In questi anni, il mio corpo è cambiato tante volte: la bambina si è trasformata prima in un'adolescente e poi in una ragazza fino ad assumere le sembianze di una giovane donna che dovrebbe aver risolto ogni cosa, dimenticato il passato. Invece basta l'odore del sapone che si mischia a quello del cioccolato, la vista di un pane al pomodoro, la fodera verde di un quaderno. Basta un attimo e torno lì, sempre nello stesso posto, a fissare dietro un vetro quella bambina che si sta perdendo.

La bambina decide di non tornare a casa dopo la scuola e vaga per il paese con lo zaino sulle spalle. Non vuole più stare in un posto dove tutto le ricorda che non sarà mai come gli altri. La bambina è ferita e non sa a quale dei sentimenti contrastanti dare ascolto: senza nonna a occuparsi di lei non sa dove andare, ma se torna da nonna non vivrà mai una vita normale. E se durante la sua assenza nonna morisse? I pensieri diventano spaventosi e incontrollabili. Se resta sola, sarà adottata? Avrà di nuovo una mamma e un papà? Che ne sarà di Sirio e di Diana? E della casa sulla collina? L'immaginazione è una tempesta, la testa della bambina un campo di battaglia. Intorno macchine, clacson, semafori, tutti tornano a casa per pranzo, ma nessuno bada a lei. Poi, a poco a poco, le strade si svuotano: tutti hanno una casa dove tornare, una tavola da imbandire, un televisore da accendere.

Intanto, nonna la sta aspettando, sempre più preoccupata. Adesso guarda giù dalla collina. Quando l'ultima corriera si allontana senza che sia sceso nessuno, senza che sia scesa Adele, allora non ci sono più dubbi: al diavolo il pranzo, al diavolo i fornelli. Anche Sirio è agitato, miagola forte e sbatte la coda, come se stesse chiedendo notizie della bambina al vento, alle sue amiche piante, ai suoi nemici insetti. Dov'è? Diteci dov'è!

La bambina non sa dove si trova. Non conosce il paese, i nomi delle strade, gli angoli delle piazze, le insegne dei negozi. Vive sulla collina da un po', ma non scende mai, tranne che per andare a scuola. Le vie sono un labirinto sconosciuto, le facce dei passanti straniere, e soprattutto lei è troppo stanca, troppo triste per orientarsi. Si sente sola al mondo e il suo segreto le fa esplodere dentro questa disperazione. Ma almeno il suo segreto è al sicuro dentro la terra, nel giardino della casa da cui è scappata, in fondo alla buca che nonna le ha detto di scavare.

Ma è davvero così? È davvero al sicuro il suo segreto? La bambina lo ritrova in ogni viso che incontra, in ogni voce che si avvicina. La ragazza dai capelli ricci e le dita affusolate, l'uomo con i baffi, i gemelli che dal passeggino la guardano incuriositi.

La bambina è assediata, e nuda.

Il segreto che aveva tenuto dentro sé fin quasi a dimenticarsene e che era poi riapparso in un giorno inaspettato, il segreto che la appesantiva e la opprimeva ma insieme la costituiva: quel segreto, finché era custodito dentro di lei, era protetto. Poi l'aveva seminato, come le aveva detto nonna. Ma davvero della terra ci si può fidare?

Un segreto è un segreto quando non viene detto a nessuno: se passa di bocca in bocca smette di esserlo e diventa qualcos'altro, una parola trasformata, una pietra che si smussa e si arrotonda, una freccia che scansa un bersaglio, una traiettoria incontrollabile. Un segreto è un segreto se a toccarlo sono i nostri pensieri e a vederlo è l'occhio che rivolgiamo dentro noi stessi. Ma in quel riparo il segreto può ingrandirsi fino a implodere, distruggere l'involucro che lo conteneva, anche se quell'involucro è una persona. Oppure può rimpicciolirsi e comprimersi fino a esplodere, stufo di essere ignorato. Un segreto, detto o non detto, a un certo punto deflagra.

Ci sono segreti microscopici e segreti giganteschi, segreti con nomi, facce e lineamenti precisi, e poi ci sono segreti confusi, magmatici come la lava dei vulcani, segreti che non hanno neppure gli occhi e la notte si vestono da ombre o da fantasmi. Ci sono segreti pieni di vergogna e segreti pieni di orgoglio, ed entrambi fanno barcollare un po' chi li porta. I segreti tirano le persone dalla manica della giacca, a destra o a sinistra: con un segreto non puoi mai camminare dritto. Ma poi, che male c'è a essere storti? La bambina avanza nella città come dentro una giungla. All'improvviso, il mondo è un intero scrigno.

La bambina, frastornata, è finita dentro un parcheggio. Dev'essere il cortile di un supermercato, ci sono tre file di auto a spina di pesce, alcune con il portabagagli aperto e, dietro, famiglie che armeggiano con buste e pacchi, e tutt'intorno rumore di carrelli. La bambina vede solo i colori: una macchina nera, una grigia, una gialla, di chi potrà mai essere una macchina gialla? Dev'essere una persona simpatica, eccentrica. Alla bambina piacerebbe farsi un giro con lei, si avvicina piena di desiderio. E, mentre si avvicina, sul tetto dell'auto si profila una piccola torre nera, una torre pelosa, a guardarla bene è appiccicata al corpo di un gatto. Dallo scintillio degli occhi che si posano su di lei, la bambina capisce che quella torre è la coda di Diana.

«*Miao*» dice Diana.

«*Miao miao*» risponde la bambina. Il linguaggio dei gatti è così semplice, a volte. «Quindi è in città che te ne vai tutte le volte» chiede la bambina.

«*Miao miao*» risponde la gatta. «*Miao*» le fa eco la bambina, e si accoccola vicino all'automobile mentre Diana le salta in grembo.

Non è più una bambina da sola, adesso è una bambina con un micio, seduta vicino a una macchina. Sarebbe bello se quella macchina fosse di mamma, che a un certo punto suonasse il clacson per esortarla a saltare su, dopo che ha fatto la spesa con la sua minigonna rossa e il sorriso delle foto.

«*Miao*» insiste Diana, strusciandosi al petto della bambina. «*Miao miao miao*» le tira la manica con la zampa. «*Miao miao*» dice ancora Diana, o forse no. La voce viene da tutt'intorno e decisamente no, non è lei. Più che una voce, sembra un'eco, un miagolio moltiplicato. La bambina si gira sorpresa: dietro di lei, fra le ruote di quell'auto gialla, due cuccioli la stanno chiamando mamma.

Quando la nonna trova la bambina, dopo averla cercata in lungo e in largo, si abbracciano dietro il parafango di un'auto gialla abbandonata da chissà quanto tempo. La nonna impazzisce di gioia, riempie di baci i capelli e le guance della bambina. «Avevo perso una nipote, ho ritrovato una nipote e una gatta» esclama ridendo. La bambina indica il cespuglio alle sue spalle. La nonna esita. «*Miao miao miao*» dice la voce moltiplicata. La nonna si fa molto seria, allora la bambina ride lei, finalmente. La nonna si ricompone e non si perde d'animo. Per fortuna i cuccioli sono piccoli, ma non neonati, e possono venire via insieme agli umani: uno in borsa, uno nello zaino della nipote, e via verso la corriera, con Diana al seguito, baldanzosa e regale come un'imperatrice.

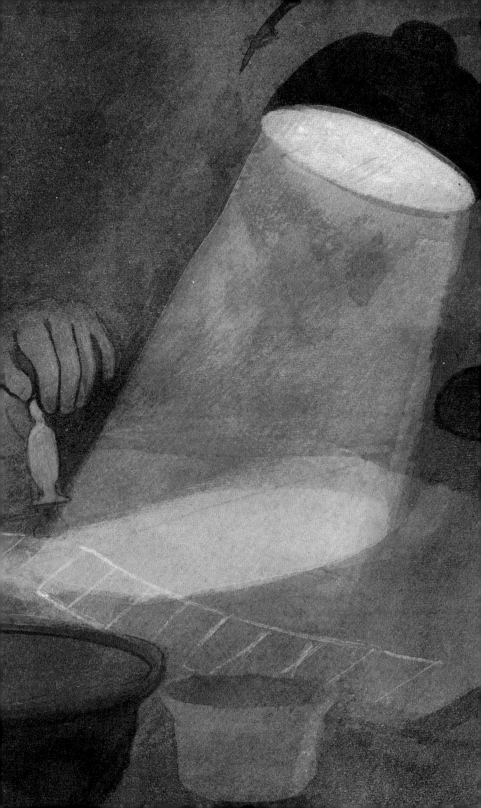

7

Ritorno a casa

Non ricordo le prime parole di nonna, quando mi trovò dietro la macchina gialla, con lo zaino accanto. Ricordo però quelle che indirizzò al conducente della corriera, che vedendoci salire con Diana chiese se per piacere potevamo metterla nel trasportino. «Pago il biglietto anche per lei, quindi ha tutto il diritto di sedersi dove le pare» rispose nonna. Allora il conducente guardò me, e io alzai le spalle, perché non avrei proprio saputo come mettermi contro mia nonna.

«Signora Adele, salga, però per piacere la tenga in braccio» provò a supplicarla, ma nonna aveva già preso posto e io avevo smesso di chiedermi se si era accorto che i gatti erano ben più di uno, o se faceva finta di nulla perché, saggiamente, si era arreso. Diana stette tutto il tempo in braccio a nonna e i suoi figli non miagolarono nemmeno un secondo. Ogni tanto li accarezzavo per tener loro compagnia, o forse perché fossero loro a tenerla a me. Quanto a nonna, mi lasciò il posto vicino al finestrino mentre sentivo così forte il suo odore, un odore di oceano e di montagna, di sale marino e foglie di ginepro, e il suo cratere lunare si accendeva e spegneva a intermittenza.

Cullata dalla strada, da quella luce e dal calore di nonna Adele e della coda di Diana, piombai in un sonno profondo.

Mi svegliai a casa, sul divano. Nonna doveva avermi portata in braccio: mi stupiva quanta forza avessero le sue braccia sottili. Mi aveva avvolta in una coperta viola di quelle fatte da lei, mentre sul petto sentivo pressante un peso, che però non era fastidioso, tutt'altro: Diana era sparita come al solito, ma Sirio mi si era addormentato addosso, come a tenermi ferma lì, e russava rumorosamente. Per non svegliarlo, evitai di muovermi e mi misi a guardare il soffitto, finché non sentii un rumore di stoviglie e di passi sempre più vicino, e dalla porta spuntò nonna con un vassoio.

«Buonasera, allora non vogliamo dormire tutto il giorno?»

Erano le cinque, l'ora del tè rosso. Nonna non doveva avere aspettato molto prima di venire a riprendermi.

«Mi dispiace tanto» dissi, prima di scoppiare a piangere. Volevo raccontarle cosa era successo, ma subito mi versò il tè, lo allungò con un po' di latte e spinse verso di me il piattino con i biscotti al burro.

«Ora mangia» disse. «E bevi, è il rimedio a quasi tutto.»

Nonna adorava il tè rosso, secondo lei faceva bene

contro ogni malattia e diceva che anche i bambini avrebbero dovuto prenderlo, io non ero molto convinta, ma mischiato con il latte e lo zucchero lo trovavo accettabile, soprattutto se potevo inzupparci dentro i miei adorati biscotti al burro. Anche Sirio doveva essersi svegliato affamato, a giudicare dall'insistenza con cui provò a leccare la mia tazza.

«Vattene, gattaccio!» esplosi. Sirio saltò giù dal divano e scomparve oltre la porta.

«Perché ti rivolgi a tuo cugino in questo modo?»

«Non è mio cugino, è un animale, e mi fa schifo che beva dove bevo io!»

«Se è così, allora hai ragione» la voce di nonna tornò tranquilla. «Se per te è solo un animale, allora hai fatto bene a cacciarlo. Gli darò io qualcosa più tardi, nella sua ciotola. Questo vuol dire che non vuoi approfondire la conoscenza dei tuoi nuovi nipotini, immagino.»

«Dove sono?» chiesi con un moto di stizza, perché era ovvio che non vedevo l'ora di giocare con loro.

«Nella mia stanza, al caldo. Quella gattaccia non ce li avrebbe mai portati se tu non l'avessi stanata. Mi hai fatto prendere un colpo, ma almeno a qualcosa è servito.»

Bevvi il tè in silenzio e finii tutti i biscotti. Solo quando non furono rimaste né una goccia né una briciola, nonna riprese a parlare.

«Allora, vuoi dirmi cosa è successo?»

«Me ne stavo un po' per i fatti miei.»

«Non te lo avrei impedito, se me lo avessi chiesto.»

Alzai le spalle.

«Adele, il fatto che io non sia tua madre non significa che puoi fare quello che vuoi. Se decidi di non tornare a casa dobbiamo prima parlarne insieme.»

«Se non sei mia madre perché vuoi dirmi cosa devo fare?» urlai.

Nonna si rabbuiò. «Non voglio, infatti. Finora non ce n'era stato bisogno.»

«Le mie amiche non vogliono essere mie amiche» dissi, con la voce che mi tremava.

«E perché mai? Sono venute qua e le abbiamo accolte come si deve.»

Raccontai a nonna che le Magnifiche Quattro avevano raccontato a tutti la visita del giorno prima, accentuando solo gli aspetti negativi, ma non le dissi di preciso cosa mi aveva riferito Giorgia. Parlai della loro freddezza e dissi che mi feriva, perché quello che più desideravo era entrare in un gruppo di amiche.

«E fai bene» rispose nonna, dopo aver ascoltato con pazienza. «I gruppi di amiche sono importanti. Le donne possono creare un cerchio magico, se si uniscono insieme.»

«Loro avevano un cerchio. L'ho proprio sentito quando mi sono avvicinata.»

«Non so che cerchio avessero, ma non era niente di magico. Nessuno si unisce davvero se il legame consiste nel parlare male degli altri e soprattutto delle altre. Le donne non dovrebbero mai parlare male delle altre donne. Ho l'impressione che queste quattro fossero magnifiche solo nella tua testa, sai?»

«E quindi io non posso avere amiche?»

«Devi. Stavo cominciando a preoccuparmi, a vederti sempre sola. Ma sentivo che per te non era ancora venuto il tempo. Non ti conosci abbastanza, o forse non vuoi conoscerti, quindi c'è ancora un po' di strada da fare prima di conoscere gli altri.»

«Magari sono amiche fra loro e non ne vogliono altre. Magari non vogliono me» insistei.

«Qualcosa mi dice che erano venute qui con un intento preciso: spiarci.»

Ecco cos'era la sensazione che avevo avvertito per tutto il pomeriggio: non la curiosità di chi vuole conoscerti, ma quella di chi sta indagando su di te.

«Molte persone non conoscono davvero il mondo» continuò nonna, «e trasformano quell'ignoranza in paura. Non sei tu a essere sbagliata. E io avrei fatto meglio a essere più diffidente.»

Non ci dicemmo molto altro. Nelle ore successive nonna fu amorevole come al solito, ma anche lontana, pensierosa, come se fosse occupata da un pensiero molto grande.

Gran parte della serata fu poi presa dai nuovi arrivati, che insieme a Diana si erano messi ad aspettarci fra le lenzuola, così che a un certo punto eravamo in cinque nello stesso letto.

Prima di addormentarci chiesi a nonna di trovare insieme un nome ai cuccioli ma lei guardò fuori dalla finestra e mi disse che sarebbe stato meglio aspettare. «I battesimi si fanno in luna crescente» decretò, e vidi un'ombra sul suo viso. «È così che ho fatto con tua madre, e ogni volta che guardo la luna mi manca moltissimo.» Sentii in quel momento tutto il suo dolore: io avevo perso una mamma, ma lei una figlia, e non riuscivo neppure a immaginare cosa provasse.

Poi, categorica, tolse i gattini dal letto per evitare che potessero farsi male, portandoli nelle cucce che aveva preparato per loro: la metà di una grossa noce di cocco e la metà di una zucca. Diana si accoccolò placida e silenziosa ai nostri piedi. Stavolta, a essere sparito era Sirio.

Quella notte, nel sonno accanto a nonna, sentii il rumore del mare interrotto, solo ogni tanto, dal verso dell'allocco.

Il giorno dopo non andai a scuola. Non ci fu neanche bisogno di dire che avevo la febbre, di mentire o giustificarmi: semplicemente, nonna non mi svegliò in tempo e io continuai a dormire fino a tardi. Svegliarsi a metà mattinata, in campagna, significa aprire gli occhi quando la giornata è già iniziata da un pezzo: allodole e passerotti hanno già cantato nei loro migliori concerti, la luce dell'alba si è già trasformata in quella, più normale, di città, e gli odori di alberi e piante si sono già mescolati con quelli degli umani.

Però mi sentivo riposata e, ripensando a come mi ero comportata il giorno prima, mi diedi della stupida: in fondo, il fatto che quattro ragazze non volessero essermi amiche non era una tragedia. Anche se in collina non c'erano altri bambini, questo non voleva dire che ero sola: la nonna, le ombre e i miei gatti mi avrebbero fatto compagnia finché non sarei diventata grande. Diana mi lesse nel pensiero e, dalla cesta vicino alla stufa dove si era raggomitolata per dormire, mi raggiunse per darmi il buongiorno. E Sirio? Eravamo abituate alle sparizioni di sua sorella, ma non alle sue. Sentii una fitta di inquietudine, ma ormai avevo imparato a fidarmi della saggezza e delle fughe dei gatti.

Il sole segnava la mezza quando decisi, prima di pranzo, di giocare a campanaro in giardino: bisognava tracciare otto caselle sull'asfalto con un gesso bianco e poi saltarci dentro seguendo un sassolino, con due piedi o con uno. Ma dato che in collina non c'era asfalto, la mia versione del gioco era questa: disegnare le otto caselle con dei rami secchi che univo a formare i lati dei quadrati.

Il punto dove giocavo era proprio quello dove, qualche giorno prima, avevo confessato il segreto. Scelsi i rami con cura all'inizio del lecceto, e andai lì con le braccia cariche. Una volta terminata la terza casella, mi accorsi che qualcuno ne aveva aggiunta una quarta, proprio alle mie spalle. Eppure, per quanto mi guardassi intorno, nel raggio di metri e metri non c'era nessuno.

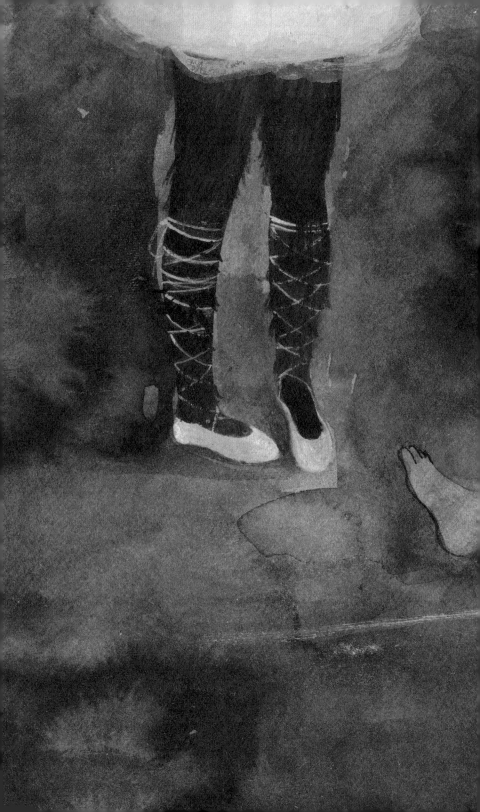

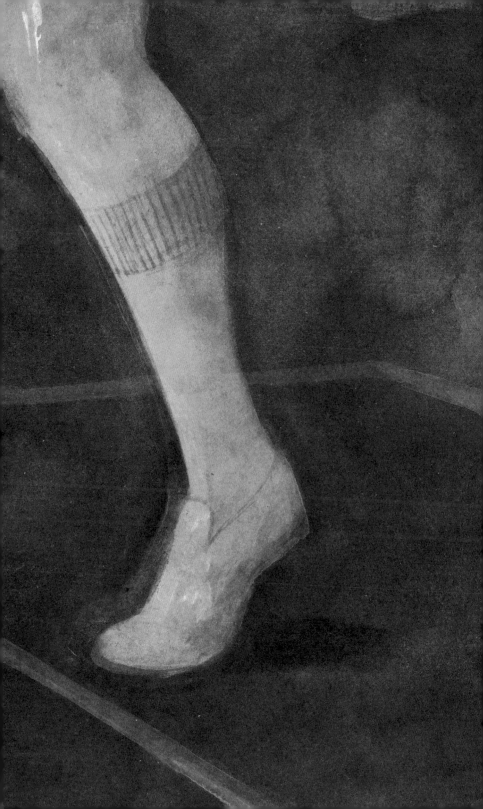

8

Ghiri e gelsomini

«Ehi, c'è nessuno?»

La voce arrivò forte, inequivocabile, lasciai cadere la penna sul quaderno dove stavo facendo i compiti e uscii in giardino.

Giorgia era ferma a metà vialetto, i ricci chiari tirati indietro da una fascia colorata e, a tracolla, la borsa di cuoio con cui di solito veniva a scuola. Indossava un paio di jeans larghi con qualche taglio qua e là e un giubbino rosa leggero, teneva le braccia conserte come se si stesse difendendo dal vento.

«Ma allora stai bene, perché non sei venuta a scuola stamattina?»

Alzai le spalle. «Non mi andava.»

«Beata te. Se io dico che non mi va, mio padre mi ci porta lo stesso.»

Nel frattempo, nonna si era affacciata da una delle finestre di sopra.

«È una mia compagna di classe» urlai, mentre Giorgia si presentava a un volume normale.

Il primo piano era basso e non avrei avuto bisogno di alzare il tono della voce, ma ero emozionata. Nel giro di pochi giorni la casa sulla collina, da solitaria che era sempre stata, si andava popolando: prima le Magnifiche Quattro, poi i miei invisibili compagni di gioco della mattina, infine i figli di Diana e adesso pure Giorgia. La mia, per essere una solitudine, era più che affollata.

«Sei venuta da sola?»

«Mi ha accompagnato mia madre, viene a riprendermi quando finisce di comprare vestiti.»

«Perché non sei andata con lei?» Pensai che mi sarebbe piaciuto tantissimo avere una madre con cui scegliere un cappotto per l'inverno o un costume per andare al mare in estate.

«Non mi vuole. Dice che la deconcentro. E in ogni caso mi annoiano i negozi, non c'è mai niente per me, e poi devo aspettare ore e ore.»

Se mia madre fosse stata viva, sarebbe stata egoista come la madre di Giorgia? Mi sarei annoiata a fare con lei tutto ciò che mi mancava e desideravo? Ero rapita da quelle domande: del resto, stava per scoccare *l'ora che penso a' miei cari*. A proposito: non avevo ancora scritto il commento alla poesia di Pascoli!

«Ti va di fare italiano?» chiesi.

Quando erano venute a trovarmi le Magnifiche Quattro, non avevo neppure pensato di proporre loro di fare i compiti insieme, innanzitutto perché ero preoccupata di fare bella figura ai loro occhi, poi perché Margherita e Iris non erano brave a scuola e sembravano considerare lo studio una roba inutile e noiosa. Con Giorgia, invece, mi era venuto spontaneo. E lei rilanciò.

«Giusto. Quella poesia di Piscoli, ricordi? Dobbiamo commentarla.»

«Pascoli» la corressi. E sul suo errore attaccammo a ridere senza riuscire più a fermarci.

Ecco cosa non mi era successo durante il pomeriggio con le Magnifiche Quattro: non avevo riso neppure una volta.

Da bambina non lo sapevo ma adesso sì, che se non ti scappa mai da ridere con qualcuno, quel qualcuno non è la persona giusta per te.

Quando la macchina della madre di Giorgia si fermò giù al cancello annunciandosi con una strombazzata di clacson, avevo la sensazione che ci fossimo appena sedute alla scrivania. Tutte le cose che avevamo fatto insieme erano state belle.

Innanzitutto, nonna aveva preparato un dolce nuovo, lo aveva messo negli stessi piattini del riso nero ma si presentava come il suo opposto, denso, cremoso e candido. Somigliava a un budino, ma era ancora più morbido.

«Si chiama biancomangiare» aveva detto in risposta alla mia faccia stupefatta.

Giorgia lo aveva mangiato tutto e aveva chiesto anche il bis.

«Ora morirò avvelenata» disse, fingendo di stramazzare.

Dovevo aver fatto una faccia spaventata perché d'improvviso si fece seria.

«Ehi, facciamo che le stupidaggini di quelle sceme adesso le facciamo a pezzi, va bene?»

Quindi la mia sensazione era giusta: le Quattro avevano detto qualcosa anche sui dolci di nonna.

«Rosa ha detto a tutti che tua nonna le ha dato un riso al cioccolato, che lei è allergica ma non le è successo niente, e che quindi doveva essere un dolce stregato.»

Alzai gli occhi al cielo. Rosa, pure lei, ma come le era venuto in mente? Ogni aspetto della mia vita era stato analizzato in chiave distruttiva. A guardarmi con gli occhi di quelle quattro facevo paura: se ero davvero così, fossi stata in loro non avrei mai voluto frequentare una come me.

«Dai, non fare quella faccia. Quelle non le sopporta nessuno: pensa che sfortuna se invece ti avessero preso in simpatia, a quest'ora saresti stata amica loro e io ti avrei evitata come la peste.»

Il ragionamento di Giorgia non faceva una piega.

Prima di saltare sulla macchina di sua madre, Giorgia volle fare il giro delle stanze, salutò Diana, i cuccioli, nonna Adele e perfino il geco Ubaldo che per l'occasione si era affacciato da dietro la vetrinetta. Si vedeva appena la testa, la coda era rimasta nascosta, ma era comunque un gesto di cortesia verso una sconosciuta.

La luna era coperta, le ombre erano sparite, l'aria della sera era limpida e fresca. Rimasta sola, sentii un frusciare di foglie sul vialetto (bisce? topi? volpi? Sirio?).

Dopo cena raccolsi i quaderni, i libri e l'astuccio per preparare lo zaino per l'indomani, e mi accorsi che Giorgia aveva dimenticato il quaderno di italiano sulla scrivania, proprio accanto al mio. Era ancora aperto sulla pagina dei compiti e non potei fare a meno di sbirciare.

IL GELSOMINO NOTTURNO. COMMENTO.

Questa poesia di Giovanni Pascoli è identica alla casa più bella in cui sia mai stata: quella della mia compagna Adele.

Adele vive con sua nonna, una signora simpatica che prepara dei dolci squisiti, e con una gatta di nome Diana e i suoi figli. C'è anche un gatto maschio, ma purtroppo non ho potuto vederlo, perché era andato a fare una passeggiata nel bosco. Ha ragione. Se vivessi in un bosco, anche io starei sempre in giro. Quando sono arrivata, per prima cosa ho visto una farfalla. Poi ho visto i viburni e finalmente ho capito cosa sono, così ho imparato una parola nuova. Se non fossi andata a casa di Adele non l'avrei mai capito. Se non fossi andata a casa di Adele non avrei capito molte cose, perché non mi fido di quello che non vedo con i miei occhi. Ma soprattutto: se non fossi andata a casa di Adele non avrei trovato un'amica. Abbiamo riso molto perché io non ricordavo il nome del poeta e l'ho sbagliato in "Piscoli". Purtroppo anche ora continuo a sbagliarlo non so perché, forse perché mi suona meglio. Più familiare. O forse perché faccio fatica a ricordare le cose se non le imparo ridendo. Adele invece ha un'ottima memoria anche da seria, però è una persona molto spiritosa. Dev'essere l'allegria del posto in cui abita. A casa mia, in paese, mi sento sola, non ho nessun animale e non ho nemmeno una sorella. Invece a casa di Adele secondo me ci si diverte. Oggi ho capito cosa intende il poeta alla fine della poesia, quando dice che c'è una felicità nuova.

Quella notte la campagna tacque, immersa in un dolce silenzio.

Dormivo profondamente, quando mi svegliai di soprassalto: qualcuno stava camminando sopra la mia testa, e non una persona sola, ma mille piccoli passi di piccoli piedi. Il tempo di aprire gli occhi e fui invasa anche da un altro rumore, il verso di un animale, di più d'un animale, uno squittire stridulo e forte. Chi c'era nel sottotetto? Chiunque fosse, non si limitava a fare un gran baccano ma si stava calando dentro il camino per invadere casa. Mi strinsi forte a nonna, senza uscire dal mio dormiveglia, ma i passi e gli squittii erano arrivati fino al pianterreno.

Fu il fragore di un oggetto caduto a svegliarmi definitivamente, saltai su urlando e nonna accese la luce.

I mille piccoli passi si fermarono, gli squittii sparirono. Chiunque fosse, si era spaventato. Dopo un attimo di esitazione e silenzio, i passi tornarono su alla svelta, sempre passando per la cappa.

Nonna mi abbracciò sorridendo. «Ehi, da quando in qua abbiamo paura dei ghiri?»

I sogni spariscono spesso senza lasciare traccia; qualche volta, invece, disseminano il giorno di indizi. La mattina dopo, il parafuoco rovesciato era l'unica traccia di quella festa di piccoli roditori.

9

Il mare negli occhi

Oggi, se ci penso, so che la mia infanzia è stata strana ma anche uguale a tutte le altre, perché ogni bambino è irregolare a modo suo. So che dentro ogni creatura adulta ce n'è una uguale ma piccola, che spesso si è sentita diversa dagli altri, convinta che nel mondo non ci fosse il posto giusto per lei. Quella creatura si è nascosta per essere accettata e, a volte, per azzerare le differenze che la rendevano unica ha sperato di crescere alla svelta. A volte l'adulto ha fatto un lavoro così perfetto che è impossibile scorgere le tracce del bambino ma, a uno sguardo allenato, dietro un aspetto serioso e austero c'è sempre un dettaglio a rivelare cosa è rimasto dell'infanzia.

Oggi vivo in una casa senza giardino. Abito in una grande città, in un quartiere pieno di persone che amano le panchine nei giorni di sole e farsi i fatti l'uno dell'altro, ma sanno anche portare la spesa agli anziani e or-

131

ganizzare una colletta se qualcuno ha bisogno di aiuto.
Mi piacciono le persone anziane, perché mi ricordano
la nonna con cui sono cresciuta: non ho mai capito fino
in fondo tutto della sua bizzarra natura, e forse è giusto così. Non è detto che per amare qualcuno dobbiamo sapere tutto di lui. Nonna Adele resterà sempre,
per me, un incantevole mistero, e anche se oggi non
c'è più mi ha lasciato tutto quello che mi serve davvero nella vita: fantasia, immaginazione, erbe magiche e
una fiducia nel mio intuito che senza di lei non avrei
avuto. Oltre, naturalmente, all'ultimo discendente della sua stirpe di felini.

Il mio quartiere è una città nella città e, quando
sono in viaggio, c'è sempre qualcuno cui posso lasciare le chiavi per dare da mangiare a Giaguaro e innaf-
fiare le piante.

Giaguaro è il mio gatto bianco nero e rosso e il suo
passatempo preferito è saltarmi sulle ginocchia mentre
lavoro. Spesso penso a cosa direbbe di lui nonna Diana
e a cosa direbbe di me nonna Adele. Chissà come com-
menterebbero le nostre giornate, le storie che scrivo e
la sera gli leggo. È incredibile quanti indizi sul mio lavoro posso carpire dalle sue reazioni: se sbadiglia, but-
to tutto. Se si agita troppo, vuol dire che è distratto, la
storia non l'ha preso abbastanza. Ma se sta fermo sulle
mie gambe e dopo un po' comincia a fare le fusa, allora
quella è la storia giusta da pubblicare. Chissà cosa acca-
drà quando gli leggerò queste righe in cui parlo di lui.

A proposito: il secondo nome di Giaguaro è Sirio, come quello del suo prozio. In famiglia ci teniamo alla tradizione.

«E poi ha un gatto pezzato maschio, tutti sanno che i pezzati sono solo femmine!»

Mi bastò sentire questa frase per capire che stavano parlando di me.

Il cerchio delle Magnifiche Quattro si era allargato: ormai tenevano comizi a tutta la classe sulla mia casa, mia nonna, i suoi dolci e persino su Sirio.

Eppure, avere un'amica soltanto, ma quella giusta, può rendere invincibili: ostentando superiorità mi diressi al mio posto, dove mi aspettava una sorpresa che mi mise di ottimo umore. Giorgia aveva lasciato il suo banco per sedersi accanto a me.

Intanto le Magnifiche fingevano di ignorare l'evento, tranne Margherita che non riusciva a nascondere quanto schiumava di rabbia. Come si permetteva questa Giorgia di avvicinarsi a me, dopo che lei mi aveva creato il vuoto intorno? Se non ero amica di Margherita, se non ero approvata da lei, allora non potevo essere amica di nessun'altra. O almeno così pensava.

Al cambio dell'ora, corse verso la porta e inciampò apposta per cadere su Giorgia. Subito si allontanò disgustata. «Che schifo, puzzi di animali sporchi» disse, e Rosa e Iris approvarono ridendo.

Fino a quel momento avevo sopportato che prendessero in giro me, ma l'idea che si facessero gioco di Giorgia mi fece perdere la pazienza. Era davvero troppo. Mi lanciai su Margherita per colpirla, quando intervenne la Solinga.

«Siete impazzite?!»

«Io non ho fatto niente» si affrettò a dire Margherita con voce flautata. «È questa qui che mi si è buttata addosso. Io sono solo inciampata e ho chiesto scusa.»

Lo sguardo severo della Solinga mi fece sentire sola, capii che era inutile replicare, non avevo le prove che Margherita avesse detto quello che avevo sentito. Giorgia scappò via e io abbassai la testa. Più di tutto, mi paralizzava la paura che, oltre alle stranezze che le Magnifiche Quattro stavano ingigantendo, si diffondesse anche la voce che ero violenta e aggressiva. Alla mia traballante reputazione mancava solo questo!

La Solinga mi punì e durante la ricreazione non potei uscire con le altre in cortile. Ero sola e triste nel mio banco, quando sentii tamburellare sulla finestra. Giorgia, mezza arrampicata fino al nostro primo piano rialzato, mi stava salutando con una linguaccia, e tutta la scena era così buffa che le lacrime di rabbia furono ricacciate indietro lasciando posto a una sonora risata.

Una volta rientrati in classe, mi accorsi che un paio di ragazze mi guardavano spaventate. Pensai che l'immagine che avevo dato di me era terribile: ero una strega nipote di una strega, vivevo in una casa piena di animali schifosi, stavo antipatica alle ragazze più potenti della classe e in più, con quel gesto, mi ero resa pericolosa e violenta.

Intanto, Dalia chiacchierava allegra con Rosa, Iris faceva finta di ripassare i compiti e Margherita, tronfia e imperiale, sedeva al suo posto soddisfatta: ancora una volta aveva dimostrato a tutti di essere lei a comandare.

«Allora, chi vuole leggere per primo il commento alla poesia di Pascoli?»

Fu Mattia, un ragazzo dai capelli rossi e ricci, a leggere per primo. Quindi, alzò la mano Giorgia. La Solinga le diede la parola e io trattenni il fiato, talmente tesa che non ce la facevo ad ascoltare. Cominciai a cantare dentro di me una ninna nanna di quando ero piccola che parlava di sabbia e onde e, a poco a poco, la voce che mi cullava non era più la mia ma quella di mia madre, poi quella di mio padre, infine le voci di entrambi si confusero con il mare.

Quando Giorgia finì, toccò ad Antonio, e poi a Clara, e poi a Giulio, e poi a Sara leggere i loro commenti. La ninna nanna nella mia testa era finita, restava un dolce sfondo che accoglieva le voci dei miei compagni, ma la musica aveva modificato l'aria intorno a me: la paura, la rabbia, i pensieri negativi e tutto ciò che mi preoccupava si erano trasformati in un'impalpabile leggerezza.

Non saprei dire, però, cosa avevano letto gli altri, perché la mia testa era ferma alle prime parole del testo di Giorgia e a un inafferrabile luccichio di commozione che mi sembrava di aver colto negli occhi della prof – ma forse erano stati il vento o un moscerino.

Al cambio dell'ora, decisi di non muovermi dal banco. Non potevo permettermi un altro passo falso, e temevo che Margherita o una delle altre mi avrebbero teso un tranello per provocarmi o incastrarmi. Se fossi stata di nuovo sorpresa a reagire, le cose per me si sarebbero messe male.

Me ne stavo così rincantucciata sperando che la giornata passasse presto, quando sentii una voce nuova avvicinarsi: «Forte, casa tua. Mi inviti? Anche io ho un gatto ma sta sempre da solo e si annoia. Non ho nemmeno un balcone».

Mattia mi stava davanti e mi fissava.

Non credevo alle mie orecchie. «Certo» risposi, «vuoi venire domani? Posso chiedere a mia nonna di preparare uno dei suoi dolci.»

«Magari. Mia nonna non sa fare niente e passa tutto il tempo a litigare con mio padre.»

Durante l'ora successiva mi allontanai dalla classe per andare in bagno. Al rientro trovai le due ragazze del primo banco, Elena e Sara, ad aspettarmi fuori dalla porta.

«Ehi, Adele, ma è vero che da te ci sono le farfalle?»

Esitai. Volevano anche loro prendermi in giro per le stranezze di casa? Alzai le spalle e provai a difendermi. «Be', in collina è pieno. Adesso non tante, perché inizia a far freddo, ma in primavera ci sono pure quelle nere con le ali grossissime.»

«Possiamo venire a vederle?»

Non potevo crederci. Sul banco, tra il diario e l'astuccio, trovai un bigliettino appallottolato che qualcuno aveva lanciato proprio a me. Lo srotolai con le mani che tremavano.

"Ehi non ci conosciamo bene ma mi piacerebbe venire a vedere casa tua, ti va se un giorno facciamo i compiti insieme? In cambio posso passarti tutto il mio quaderno di matematica. Risp. Giulio"

All'improvviso, dopo che Giorgia aveva letto il suo commento alla poesia di Pascoli, la classe intera voleva venire a casa mia. Intanto, Margherita mi stava fissando con odio. Decisamente, la situazione le era sfuggita di mano.

Quel pomeriggio, nonna e io decidemmo che era tempo di dare il nome ai figli di Diana. La femmina era rossiccia e nonna disse che era cieca, anche se si muoveva agilissima: la chiamammo Dorotea. Il maschio era bianco e nero e, visto che camminava come un comico, decidemmo che sarebbe stato Totò. Diana si aggirava tra le nostre gambe contenta e affettuosa, disegnando le sue solite forme a otto, ma io ero impensierita per Sirio, non era mai successo che stesse via per tanto tempo. Nonna invece non era preoccupata. «Gli animali tornano sempre dove hanno avuto da mangiare» disse. Poteva valere sia per casa nostra, dove il cibo non mancava, sia per chissà che altro luogo: forse, altrove, c'era un'altra famiglia che si prendeva cura di Sirio, che lo considerava il suo gatto. Forse aveva altre ciotole, altri padroni, addirittura un altro nome. Sentii una fitta di gelosia. Ma Sirio e Diana appartenevano a loro stessi, e al massimo alla collina: l'idea che delle creature così vive fossero "mie" era di per sé un'illusione. Nessuno può davvero appartenere a qualcun altro.

Però dovevo togliermi una curiosità.

«Nonna, è vero che i gatti pezzati sono tutti femmine? E allora perché Sirio è maschio?»

«Nel novantanove per cento dei casi. E a noi è toccato l'uno per cento. Uno non è zero: può capitare.»

«È perché sei una strega?»

Nonna scoppiò a ridere.

«Che sciocchezza, tesoro. Le streghe non esistono.»

Colsi nei suoi occhi un lampo di ironia e, insieme, il guizzo di una coda di pesce. Erano stati giorni densi, ero stanca, affaticata e felice: ancora oggi non saprei dire se quelle piccole creste argentee nelle pupille sornione di nonna fossero frammenti di un mare perduto che apparteneva solo a lei, o rifrazioni di una luce che avevo visto solo io. Non so se mi avesse detto la verità o volesse tenere nascosti i suoi segreti: stavo imparando che ognuno ha i suoi, e ha diritto di farne quel che vuole.

Quella notte, il piccolo cratere sul collo di nonna Adele non si spense neanche per un attimo.

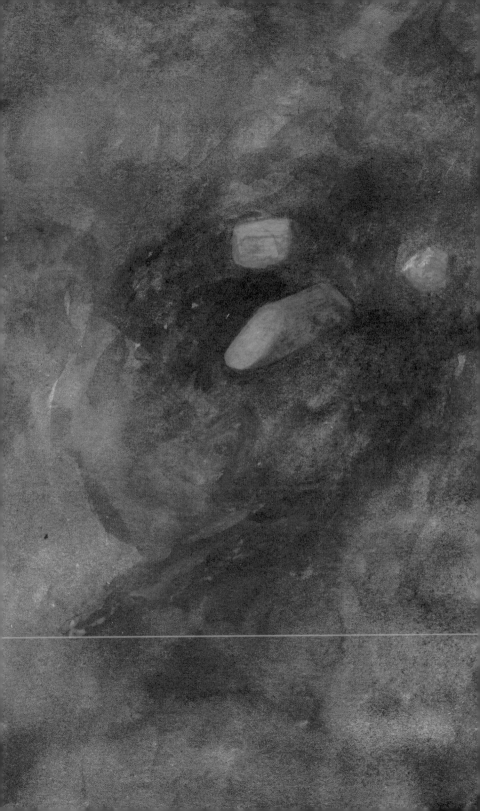

10

La grande festa

Stamattina, alle cinque, un'ondata di tenerezza ha invaso la stanza da letto.

Giaguaro l'ha avvertita prima di me. Dopo aver dormito acciambellato ai miei piedi si è stiracchiato, ha parlato con un paio di ombre nel buio, è venuto a stendersi sul mio petto e sta già facendo le fusa per buttarmi giù dal letto. La luce che tagliava l'oscurità sembrava infinita, una luna gigantesca occupava tutto lo spazio, anche perché la sera prima avevo dimenticato di accostare la tenda, o forse una voce, dentro me, mi aveva suggerito che se l'avessi fatto mi sarei persa qualcosa di importante.

Siamo rimasti in silenzio abbracciati, Giaguaro e io, a fissare l'enorme sfera luminosa mentre lei, a sua volta, fissava noi. Quando la luce è diventata insostenibile mi sono alzata e ho cercato dentro un cassetto un vecchio regalo di nonna Adele: un calendario lunare. In realtà non avevo bisogno di conferme, sapevo che era la cosiddetta luna fredda, ovvero la luna piena che appare nei giorni più gelidi dell'anno. La luna fredda, diceva nonna, è più calda del sole, è la stufa dell'inverno, porta tepore agli esseri umani che ne hanno bisogno nel corpo e nello spirito, è un balsamo per i popoli che stanno sotto la neve e per i cuori che rischiano di inaridirsi.

Ho aperto la finestra e dal cornicione è caduto giù un mucchietto di neve. Ho respirato forte, mentre Giaguaro disegnava un otto intorno ai miei piedi, e ho lasciato che il mio cuore respirasse quella luce. Sono rimasta fuori solo un attimo, perché subito la punta del naso mi si è intirizzita, ma quando ho richiuso le ante e sono tornata a letto non sentivo più freddo, solo una grande pace. Giaguaro è venuto a mordicchiarmi il naso e siamo rimasti svegli finché la luna fredda, poco alla volta, è scomparsa, ed è arrivato il sole per davvero.

C'era il sole anche il pomeriggio in cui decisi che avrei fatto una festa. Era la soluzione più semplice: non si trattava più di accogliere uno o due compagni di classe, ma tutti quanti insieme e perfino la Solinga, che aveva intuito stesse accadendo qualcosa di speciale e mi aveva guardata con un'indecifrabile aria di approvazione. Così, avevo invitato anche lei.

Brillava alto il sole nel cielo, Diana dormiva con le zampe lunghe lunghe sulla soglia, nonna Adele si muoveva tra la casa e il giardino con indosso le sue scarpe da sirena e Giorgia aveva pranzato da me per aiutarmi ad appendere i festoni e riempire i panini con tonno e salame. Totò e Dorotea muovevano i loro primi passi in giardino, fra le belle di notte e il rosmarino. Dorotea, anche se cieca, era decisamente più agile di Totò, la cui andatura continuava a essere molto buffa: eppure, come anche Sirio e Diana, quei due fratelli così diversi erano legatissimi fra loro.

Devo essere sincera: fino all'ultimo non credevo che davvero i miei compagni di classe sarebbero venuti fin su in collina. Una parte di me apparecchiava la tavola, rideva, colorava cartelloni di benvenuto, appendeva festoni, provava la musica e ballava tenendo i gatti su due zampe; un'altra si diceva che era tutto falso, non sarebbe venuto nessuno oppure sarebbero venuti tutti solo per spiarmi e parlar male di me.

A poco a poco, quella parte triste e negativa dovette ritirarsi. Per prima arrivò Sara, con gli occhioni chiari e la vocina timida. Poi Mattia, e subito cominciarono ad ambientarsi insieme. Quindi fu la volta di Giulio, con i capelli scuri e l'aria di chi non chiede altro che fare amicizia, e a quel punto scese da una piccola macchina grigia Antonio, che cominciò a rincorrere Giulio nel lecceto. Allora arrivò Michela, con gli occhiali di traverso, e si mise a parlare fitto fitto con Sara, e così via finché il giardino fu pieno, e la casa anche, e i vassoi con i panini si svuotarono, e del biancomangiare e del riso nero di nonna Adele non restò nemmeno un'ombra, e sentii miagolare dalla pentola del cioccolato. Un musetto imbrattato si levò a salutarmi. Ero così felice di rivedere Sirio che per poco non lo stritolai abbracciandolo; uscii trionfante in giardino con il gatto in braccio e il cioccolato dappertutto sui vestiti. Ridevano tutti e quella che rideva di più era Giorgia, perché chi ti vuole bene sa anche prenderti in giro: non contro di te, bensì insieme a te. Anche la Solinga rideva, mentre si faceva dare da nonna Adele la ricetta del riso nero e se la appuntava su un quaderno che, giurerei, aveva la copertina verde ortica.

E le Magnifiche Quattro? Non vennero, ovviamente, anche se, su consiglio di nonna, avevo invitato anche loro. Nonna Adele mi aveva detto: non devi mai imitare chi dà il peggio di sé, devi sempre essere la persona che ti piacerebbe incontrare.

Il giorno dopo la scuola parlava della festa sulla collina magica, e tutti mi fermavano per chiedermi se la prossima volta potevano venire anche loro. Io rispondevo sempre di sì: se c'era una cosa che avevo imparato dal mio segreto, era che nessuno è fatto per stare da solo. Certo, a patto di trovare gli amici giusti.

La sera in cui mia madre e mio padre mi avevano portato da nonna, prima eravamo andati tutti e tre insieme a mangiare in un ristorante con un grande giardino, vicino Cala Grande. Mangiavo la mia pizza con le patatine, mentre mamma sgusciava gamberi e raccontava di quando era piccola e sua madre, soprannominata la "sirena", nuotava per ore nel mare color blu e argento che avevamo di fronte, mentre lei stava a guardarla in spiaggia e sognava, da grande, di diventare come lei. La sera, disse, nonna le cantava la stessa ninna nanna che lei cantava a me. Aggiunse che il suo più grande rimpianto era stato non avere una sorella con cui condividere quei ricordi e, mentre si avvicinava a darmi un bacio, papà mi guardò e disse che loro non avrebbero fatto lo stesso errore con me: al più presto avrebbero provato a darmi una sorella. Tutto mi era sembrato possibile, in quel momento. Ero così felice!

«Preferirei un fratello» avevo risposto, pregustando lunghi pomeriggi di corse a perdifiato sulla collina di nonna, gare di velocità, salti e scambio di compiti nella nostra casa di città. Mia madre si era scostata i capelli ridendo, era così bella che mio padre non resisté nel darle un bacio. Entrambi avevano promesso di accontentarmi. Non li avrei mai più rivisti.

Il giorno della festa avevo visto tutti sotto una luce nuova: chi avrebbe detto che dietro le timide lentiggini di Mattia si nascondesse un ragazzo sfrontato e buffo, capace di far ridere con le sue strepitose imitazioni? O che Sara e Michela fossero così affettuose e curiose? O che Giulio, il forte Giulio, potesse avvicinarsi e dirmi: "Io quella Margherita non la sopporto". Con Antonio di rimando a rincarare la dose: "L'ho visto benissimo che è stata lei ad aggredirti per prima".

Quando anche l'ultimo dei miei nuovi amici andò via, Sirio, Diana, Totò e Dorotea si affacciarono a salutare l'automobile che scendeva giù dalla collina.

Era stata una giornata lucente e indimenticabile.

Oggi, delle Magnifiche Quattro non so molto. Mi hanno detto che Rosa ha due figli, Dalia fa la pittrice e Iris passa ancora molto tempo a non far nulla, ai bordi della piscina di suo padre. Una volta, per strada, ho visto Margherita. Non credo mi abbia riconosciuta. Camminava con la stessa faccia ostile di un tempo, ma dietro l'arroganza dell'adulta vedevo solo una bambina spaventata, stava ancora cercando il modo per chiedere attenzioni. Non credo abbia ancora capito che aggredire non è quello giusto, ma prima o poi lo scoprirà anche lei.

Quanto a Giorgia, è sempre la mia migliore amica: ci sentiamo tutti i giorni e andiamo insieme a fare lunghe camminate in cui ci raccontiamo tutto quello che accade nelle nostre vite. È la prima cui faccio leggere i libri che scrivo. Dopo Giaguaro, s'intende.

Ho deciso di inventare storie perché so che spesso è faticoso accettare la realtà. I suoi confini sono stretti, i suoi contorni asfittici. Non possiamo avere tutto quello che vogliamo, ma non possiamo neanche farci bastare solo quello che abbiamo. A volte restiamo imprigionati in un ricordo sospeso, in una possibilità che non si è concretizzata, sulla soglia di una dimensione che non possiamo più varcare: è allora che dobbiamo osare e sognare più forte.

Non avevo mai raccontato a nessuno di quell'ultima conversazione con i miei genitori e del desiderio che mi era rimasto incollato addosso, quello di avere un fratello. Non l'avevo raccontato a nessuno, se non alla terra. E lei non mi aveva tradito.

Quella sera, dopo quella che ancora oggi
resta la festa più indimenticabile
della mia vita, quando l'ultima luce
si fu spenta e la collina fu inghiottita
dalla notte, sgusciai da casa e mi diressi
verso quel preciso angolo del giardino,
l'angolo dove i miei sogni erano germogliati.

Attesi giusto un attimo, il tempo
che fosse chiaro che ero da sola,
che non ci fosse nessuno oltre a me.

Quindi sentii il solito fruscio tra le belle
di notte, e lui apparve per fissarmi
con i suoi grandi occhi curiosi.

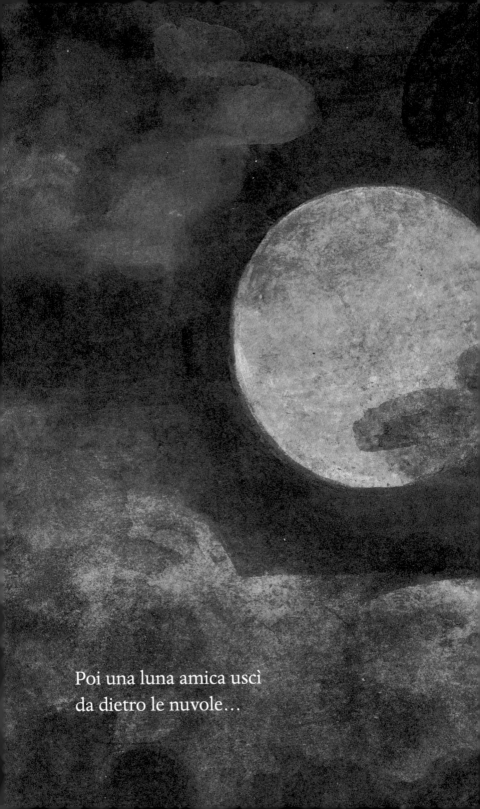

Poi una luna amica uscì
da dietro le nuvole…

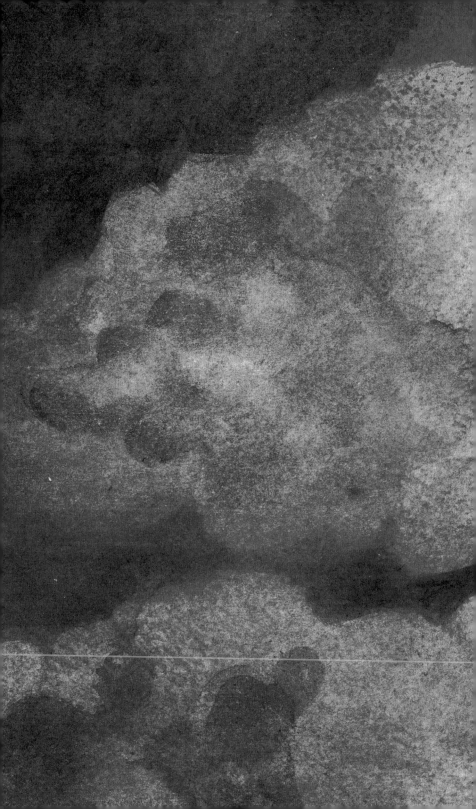

… per illuminarci entrambi, mentre
lo spazio tra noi si assottigliava…

… fino a scomparire.

Nota dell'Autrice

La maggior parte di questo libro è nata in una residenza per scrittori, Santa Maddalena Foundation. Ringrazio Beatrice Von Rezzori per l'invito, l'amicizia e l'ospitalità. Tra la vita nella torre, le lunghe conversazioni insieme e le solitarie camminate tra i boschi, ho trovato quello che non sapevo di cercare.

Le citazioni del secondo capitolo sono tratte, rispettivamente, da *La sera del dì di festa* di Giacomo Leopardi e da *Rosso Malpelo* di Giovanni Verga.

Il nome Solinga è un omaggio a Tiziano Scarpa, che chiama così un'intera città in uno dei suoi libri, *La penultima magia*.

Le ultime pagine sono state scritte con la luna fredda del 2020. Tutto ciò che di buono vi troverete è merito suo.

Indice

contemporanea

contemporanea

contemporanea

contemporanea